Paroles d'étoiles

Dans la même collection sous la direction
de Jean-Pierre Guéno :

Paroles de poilus, Librio n° 245
Paroles de détenus, Librio n° 409
Mémoire de maîtres, paroles d'élèves, Librio n° 493
Premières fois, Librio n° 612
Paroles du jour J, Librio n° 634
1914-1918 Mon papa en guerre, Librio n° 654
Cher pays de mon enfance, paroles de déracinés,
Librio n° 726
Paroles d'amour, Librio n° 788
Paroles de femmes, Librio n° 848
Lettres à nos mères, Librio n° 865
Paroles d'enfance, Librio n° 886
Paroles de l'ombre, Librio n° 925

Paroles d'étoiles

Mémoire d'enfants cachés
(1939-1945)

Sous la direction
de Jean-Pierre Guéno

Librio

Texte intégral

« Les adultes inventent le passé puisqu'ils ont des idées à la place des yeux, alors que la mémoire de l'enfant est plus précise que celle des adultes, piégés par leurs théories. »

Boris CYRULNIK, *Un merveilleux malheur*, Odile Jacob, 1999.

À Irène, Robert, Jean et Margot
et à tous les autres enfants cachés…
en mémoire de leurs souffrances et de celles de leurs parents.

À Luciole, Odette et Moussa
et à tous ceux qui ont caché des enfants en sachant les aimer…

À Éric, à Philippe,
et à tous les enfants d'enfants cachés…

Préface

Des noms, des dates, des chiffres et des récits… tout ce qui fait un livre d'histoire se retrouve dans *Paroles d'étoiles*. L'histoire qui rejoint la longue chaîne des événements qui ont fait de notre humanité ce qu'elle est, une fois de plus, dans toute sa douleur.

Les générations d'aujourd'hui, pour celles en tout cas qui ont la chance de vivre dans les pays où l'instruction et l'éducation ont un sens, ont le privilège de savoir ou, disons, de pouvoir savoir ce que l'histoire des enfants cachés a été. Au fil des années, les témoignages directs disparaissent et, un jour, comme pour les rescapés de toute tragédie, celles et ceux qui l'auront vécue dans leur chair ne seront plus là.

Aucune histoire, bien sûr, ne ressemble à aucune autre. Reste tout ce que nous apprennent, de façon infinie, ces mots et ces silences, ces cris et ces souvenirs…

Nos rues, nos villes, nos immeubles, nos villages sont comme un décor déjà bouleversé par le temps qui passe, celui qui en l'occurrence court depuis la fin de la Seconde Guerre mondiale. Et pourtant, les récits de *Paroles d'étoiles* nous ramènent à tous ces lieux de mémoire.

Avec ce retour sur ces années, nous allons aussi beaucoup plus loin. Nous parlons de nous-mêmes, d'aujourd'hui et de l'avenir. De ce que nous voulons savoir et trop souvent ignorer. D'une histoire éternelle…

Pascal Delannoy

Introduction

Ils étaient environ soixante-douze mille enfants d'origine juive vivant dans la « douce France » de la fin des années 1930…

Leurs parents étaient français, polonais, hongrois, autrichiens, allemands, roumains, turcs, russes, italiens, grecs… Certains vivaient en France depuis longtemps, depuis toujours. D'autres avaient fui les pogroms, les persécutions, la montée du fascisme, les ghettos, les insultes, les brimades, les humiliations, la misère de la grande crise… Ils avaient perdu leur patrie ; quand ils n'avaient pas encore épousé la France, ils vivaient avec elle en concubinage… Ils étaient l'Europe d'avant la lettre, celle de l'Est, celle du Centre et celle de l'Ouest…

Leurs parents étaient en général très pauvres ; bien sûr, certains étaient médecins, dentistes, fonctionnaires, bijoutiers, industriels, banquiers, avocats, professeurs, écrivains, mais ils appartenaient le plus souvent au petit prolétariat des villes et des faubourgs ; ils pouvaient être tricoteurs, matelassiers, repasseuses, finisseuses, tailleurs, tanneurs, fourreurs, brocanteurs, forains, casquettiers, chapeliers, typographes, cordonniers, marchands de cravates ou de mouchoirs…

Leurs pères avaient souvent versé leur sang pour leur pays, sur les champs de bataille de la Grande Guerre. Ils en étaient revenus décorés, blessés, mutilés, meurtris dans leur chair ou dans leur âme… En 1939, les plus jeunes, ceux qui n'avaient pas été naturalisés, avaient souvent quitté femmes et enfants en bas âge pour se porter volontaires afin de servir le pays qui les avait accueillis…

Certains, dans leur famille, pratiquaient la religion de leurs ancêtres. D'autres s'en étaient éloignés : ils pouvaient alors être chrétiens, athées, agnostiques, libres-penseurs… Tous pensaient que la France serait ou resterait pour eux la République des Lumières, le pays de la liberté, le pays où l'on pouvait être heureux comme « Dieu en son Royaume »…

Mais, depuis les retombées de l'affaire Dreyfus, et plus encore depuis les années 1920, il régnait en France une forme ardente et virulente d'antisémitisme et de xénophobie. L'arrivée de Léon Blum à la tête du gouvernement du Front populaire contribua à aviver la «haine du Juif» dans certains milieux. Par deux fois, en 1937 et en 1939, le ministère des Postes émit un timbre avec surtaxe dont la légende était: «Pour sauver la race». Il s'agissait d'élevage, mais la formule laisse rêveur... À la veille de la Seconde Guerre mondiale, Jean Giraudoux n'hésitait pas à écrire: «Nous sommes pleinement d'accord avec Hitler pour proclamer qu'une politique n'atteint sa forme supérieure que si elle est raciale...»

Un mois après l'armistice, dix jours après que les députés français eurent accordé les pleins pouvoirs au maréchal Pétain, le gouvernement français publia un décret visant à réviser les naturalisations postérieures à 1927 et réussit ainsi à «dénaturaliser» plus de sept mille Juifs... pour mieux les éliminer. Quelques jours plus tard, un mois avant la première ordonnance allemande prescrivant le recensement des Juifs en zone occupée, Vichy abrogea la loi Marchandeau du 21 avril 1939 qui interdisait la propagande antisémite dans la presse.

Comment les deux cent mille Français et les cent quarante mille étrangers d'origine juive vivant en France au début des années 1940 auraient-ils pu imaginer que Vichy anticiperait, préparerait puis renforcerait bien souvent les mesures antijuives concoctées par les nazis, en choisissant pour cœur de cible les Juifs d'origine étrangère?...

Ils étaient environ soixante-douze mille enfants d'origine juive vivant dans la «douce France» de la fin des années 1930...

Leurs parents avaient confiance... Ils ne pouvaient pas imaginer que les descendants des philosophes des Lumières pourraient prêter la main à l'une des plus grandes barbaries de l'histoire de l'humanité.

Recensés puis dépouillés de leurs biens en septembre 1940, expulsés de leurs professions et donc réduits à la misère un mois plus tard, les Juifs de France furent marqués de l'étoile jaune à partir du 29 mai 1942... Raflées par la police française dès 1941 et surtout à partir de juillet 1942 – en zone occupée comme en zone libre –, quatre-vingt mille personnes vinrent ainsi remplir les nombreux camps d'internement français gardés par des Français, et qui servirent tous d'antichambres aux camps de la mort... Trois mille d'entre elles moururent de faim, d'épidémie et de mauvais traitements dans ces «camps de concentration», victimes de la cruauté de leurs geôliers français. Mille servirent d'otages et furent exécutées par les nazis entre 1941 et 1945. Deux mille cinq cents, soit 3 % seulement parmi elles, revinrent des camps de la mort, de ces camps où avaient disparu soixante-treize mille Juifs venus de France, dont douze mille enfants, venus tous grossir les rangs des six millions de victimes de la «solution finale»…

Parmi les soixante-douze mille enfants d'origine juive présents en France en 1939, il y eut soixante mille survivants: certains parce qu'ils avaient eu la chance de pouvoir mener une vie à peu près normale. D'autres parce qu'ils furent cachés, à titre préventif, par des parents qui commençaient à comprendre que leur confiance en la France allait être trahie. D'autres enfin parce qu'ils furent soustraits aux griffes de la police française ou de la police allemande pendant ou après l'arrestation de leurs parents. Ces enfants cachés furent accueillis – souvent à titre payant, mais à une époque où il n'était pas évident de «joindre les deux bouts» – dans des familles, dans des fermes, dans des institutions laïques ou religieuses, dans des internats, dans des maisons d'enfants. Certains vécurent relativement heureux, malgré la séparation d'avec leurs proches et les menaces environnantes, dans des familles admirables ou dans des collectivités où ils découvrirent les charmes de la nature et où ils reçurent une partie de l'amour qui leur manquait tant par ailleurs. D'autres vécurent un calvaire, exploités qu'ils étaient par des «hôtes» peu scrupuleux dans une France rurale des années 1940 où la vie était parfois encore très primitive…

Paroles d'étoiles est le fruit d'un florilège composé à partir de plus de huit cents témoignages d'enfants cachés réunis grâce au travail de l'Association des enfants cachés, et grâce aux retombées des appels émis par l'ensemble des antennes de Radio France en janvier 2002.

Il aurait été absurde de rassembler ces textes sous la forme d'une compilation aveugle: la structure qui les porte est à la fois chronologique et thématique. Elle suit les six étapes d'une sorte de voyage maritime dont on ne sait pas s'il conduit à traverser un bras de mer ou un océan: «Marée basse» réunit tous les extraits de témoignages qui évoquent les racines familiales des enfants cachés – si précieuses à leur mémoire parce qu'elles ont trop souvent disparu – ainsi que la vie quotidienne des années 1930 qui, malgré la misère ambiante, semblait presque paradisiaque par comparaison avec ce qui allait advenir…

«Tempête» regroupe les témoignages qui relatent la montée de l'antisémitisme, de la propagande et des mesures antijuives, du recensement aux premières rafles, en passant par le port de l'étoile jaune…

« Naufrage » raconte le moment de la séparation des enfants et des parents, ainsi que les grandes rafles et leurs conséquences…

« Nuit » évoque la longue attente, la longue dissimulation des enfants cachés… pour le meilleur ou pour le pire, lorsqu'ils découvrent parfois simultanément les aléas de la vie, les délices de la nature et les affres de la nature humaine…

« Échouage » rappelle toute l'ambiguïté de la Libération à la fois heureuse pour ceux qui retrouvent leur famille, déchirante pour ceux qui abandonnent des parents adoptifs qui les aimaient, tragique pour ceux qui réalisent qu'ils ne reverront jamais leurs parents, et navrante pour ceux qui retrouvent un parent brisé par les camps…

« Terre » cherche enfin à résumer les soixante-huit années qui se sont écoulées depuis la Libération… soixante-huit ans pour des milliers d'enfants qui n'ont pas eu d'enfance, et qui ont essayé de réapprendre à marcher en cherchant à gommer des blessures incurables, tout en gardant l'incroyable pouvoir de donner au monde tout l'amour qui avait dû rester muselé pendant les années noires…

Ce livre ne prétend pas constituer le résultat du travail « scientifique » d'un historien. Il est le fruit d'un travail littéraire et humaniste visant à faire connaître au plus grand nombre les facettes d'une période de notre histoire, passablement édulcorée dans nos livres de classe, et, ici, mise en lumière à travers la juxtaposition des points de vue… Les témoins qui se confient dans les pages qui suivent ont aujourd'hui le plus souvent entre soixante-treize et quatre-vingt-quinze ans. Et curieusement, tous retrouvent pour exprimer leurs émotions les yeux des enfants ou des adolescents qu'ils étaient entre 1940 et 1944… Ils n'ont rien à plaider, rien à vendre. Ils racontent ces pages de notre histoire qui ne sont pas toujours écrites dans tous nos livres d'histoire parce que nous n'en sommes pas trop fiers…

La version intégrale de tous ces témoignages ainsi qu'une copie de tous les documents originaux qui nous ont été envoyés – lettres, manuscrits, documents, photographies, archives, objets… – seront versées dans les bases de mémoire de l'Association des enfants cachés, du Centre de documentation juive contemporaine, de Yad Vashem et du Mémorial de Caen. Ils sont ainsi définitivement sauvés de l'oubli…

Paroles d'étoiles se rattache à un sujet de portée universelle : celui de l'homme qui devient parfois le pire cauchemar de l'homme, lorsqu'il désigne au reste du monde un bouc émissaire, le plus souvent pour essayer d'inventer une cause à ses malheurs, à ses propres faiblesses, à ses propres complexes…

Nous pouvons porter en nous la mémoire du chagrin des enfants cachés, comme s'il s'agissait de bercer leur douleur, de l'apaiser un tant soit peu. Notre mémoire affective peut essayer de leur restituer le cocon de ces racines qui leur furent volées. Notre mémoire vive peut servir de sépulture aux êtres qu'ils ont perdus ; en leur donnant une parcelle de l'amour que nous avons reçu dans notre propre enfance, en leur permettant d'évoquer les souvenirs qu'ils n'ont pas, peut-être parviendrons-nous à rendre un peu moins douloureuse la plaie des mauvais rêves qu'ils préféreraient oublier…

Jean-Pierre GUÉNO

Ouverture

Paris, province, juillet 2002

Le décor n'a pas véritablement changé... Paris-sur-Seine... Le pavé qui luit sous la douche des pluies d'orage; les immeubles Haussmann dont la pierre chaude et dorée s'accroche aux soleils couchants de juillet, les murs sales et l'odeur javellisée du bois des marches dans les escaliers de service. La plainte nocturne des chattes en chaleur dans les cours endormies. Les quartiers riches et les quartiers qui le sont un peu moins, mais qui ont gardé la mémoire des quartiers pauvres, des quartiers populaires, des enfants qui jouent dans les rues et dans les squares. Les platanes et leurs grilles sur les trottoirs. L'odeur du pain qui manquait tant à l'époque. La devanture des cafés et des boulangeries. La voûte des portes cochères. Le pas sonore des balayeurs et le frottement saccadé de leurs balais sur le bitume... La lumière des tout petits matins d'été.

Ailleurs, c'est presque pareil. Un gros bourg de province. À moins qu'il ne s'agisse d'un village. Des tilleuls sur la place de l'église. À moins qu'il ne s'agisse de celle de la mairie ou de celle du marché. Des drapeaux qui pendent accrochés aux balcons des façades. On vient de fêter le 14 Juillet. Les rues sont fraîches, désertes et silencieuses à cette heure où l'aube vient d'échapper aux ongles de la nuit. L'eau chante dans le creux des fontaines. Le cri d'un coq éveille les routes nimbées de brume.

Dans la chaleur des lits des chambres de bonnes, sous les toits de Paris, sous les édredons de province, les corps se reposent. Les membres se détendent. Ils ont oublié la moiteur de la veille, l'humidité de la nuit qui nourrissait leur insomnie. Dans quelques heures, ils devraient pouvoir s'étirer, s'animer... Certains devraient aller chercher la fraîcheur vivifiante de l'eau, d'autres la chaleur réconfortante du sein maternel, d'autres encore la douceur de la soie d'un autre corps éveillé sous la promesse du jour. Les enfants rêvent encore. Les grands-parents somnolent. Les amants se caressent...

Il suffirait de presque rien pour que le cauchemar renaisse...

Il suffirait de l'indifférence ou de la vindicte d'un peuple, acculé par l'adversité, accablé par la guerre, le chômage, les privations, la disette et la violence, et qui préférerait étouffer son esprit de résistance et son histoire de liberté pour cultiver l'illusion d'une paix incertaine et soumise. Il suffirait de la sempiternelle lâcheté des hommes de cabinet, de cour et de pouvoir, toujours prêts à vendre leur âme pour entretenir et conserver le privilège de leur rang, la trajectoire de leur carrière, le mirage de leur nom ou de leur position sociale... Il suffirait de cet esprit de compromission, de démission, de consensus et de concessions qui caractérise les démocraties fatiguées... Il suffirait d'un moment d'égarement pour que le peuple n'hésite pas à sacrifier ses marges et ses minorités pour sauver l'essentiel de sa torpeur et de sa tranquillité...

Il serait alors si facile de trouver des coupables et de les accuser de tous les maux... Il serait si facile de classer les hommes et les femmes selon les critères de sexe, de nationalité, de norme, de « race » ou de religion... Il serait si facile de considérer les retraités et les vieillards comme des nantis, comme des privilégiés, comme une espèce parasite, stérile et nuisible dont il faudrait accélérer la disparition...

Alors les enfants d'hier, les enfants du silence, ceux qui n'ont jamais vraiment connu l'enfance, ceux qui virent leur père, leur mère, leurs frères, leurs sœurs, leurs oncles, leurs tantes, leurs cousins, leurs grands-parents, leurs amis partir pour un voyage sans retour, ceux qui ont atteint aujourd'hui un âge que leurs parents n'ont jamais atteint et qui pourrait leur permettre d'être les parents de leurs parents, alors ces enfants du silence feraient entendre leur voix; ils prendraient la parole pour dire aux générations présentes et futures ce qu'ils ont longtemps caché sous le poids de leurs souvenirs et de leurs souffrances. Ils évoqueraient ce tatouage indélébile, ce matricule qui n'a jamais marqué leur poignet, mais qui s'est inscrit dans leur tête sans qu'ils puissent jamais le décoder...

Chapitre 1

Marée basse

La plage est vide, la marée basse et les rochers déserts... Au-delà des dunes et vers l'intérieur des terres gît la vieille Europe étouffée par la complexité de ses racines et de ses divisions. Un vent mauvais souffle de l'est. Il emporte le sable ; il écrase les genêts. Il empoisonne l'eau des sources. Il étouffe le chant des rivières. Il refoule la fumée dans les conduits des cheminées. Il éteint les bougies. Il disperse les braises. Il assèche les mares où les bêtes s'abreuvent. Il stérilise les œufs dans les nids.

Loin d'ici, des hommes gesticulent et vocifèrent. Ils ont des chemises brunes, noires ou vertes. Pour leurs drapeaux, pour leurs brassards, pour leurs bannières, pour leurs cérémonies, ils ont choisi de mélanger à la couleur du sang l'éclat de la neige et l'encre de la nuit. Leurs bottes martèlent le pavé des rues. Ils beuglent des chants barbares pour essayer de couvrir la plainte des peuples qui souffrent. Certains ont croisé l'outil du forgeron de l'enfer avec celui du moissonneur de vies. D'autres ont brisé les quatre bras de la croix dans le sens contraire des aiguilles du temps pour montrer à quel point ils maîtrisent le pouvoir d'inverser l'ordre des choses et de distribuer la mort. Tous ont tendance à désigner des victimes expiatoires, des parias, des boucs émissaires qui devront soulager le reste de l'humanité de toute la culpabilité du monde et qui devront endosser à eux seuls tout le poids de la responsabilité de la misère inhumaine. Il faut désigner un peuple maudit ; il faut exclure ; il faut expurger la différence parce que la somme des différences est infiniment trop subversive pour les dictateurs. Il faut que l'arche de Noé fonctionne à rebours. Il faut déchaîner le déluge. Il faut que la colombe de la paix soit empalée sur son rameau d'olivier, déchirée par l'aigle de la guerre qui aiguise dans ses griffes l'éclair de la foudre.

Ils utilisent le pouvoir de la peur et leur imagination se désaltère aux puits des cauchemars de l'enfance qu'ils ont reniée... Ils ont déchaîné le vent de la haine et de la terreur, les flammes de l'enfer et le froid des abîmes.

Mais, sous le ciel qui se charge, les ports et les plages sont encore silencieux; la marée semble lasse et le temps suspendu; le vent retient encore son souffle...

Ambivalence de la mer... Matrice infanticide qui réclame son content de vies humaines pour délivrer aux hommes son corps et ses nourritures. Matrice féconde et généreuse, porteuse de nos origines et de nos destinées...

En se retirant, l'eau du large a dessiné sur le sable des nervures des ramifications qui font penser à la ramure d'un arbre, ou encore aux lignes qui courent dans le creux de nos mains. L'eau coule dans ces veines à ciel ouvert. Elle chante, elle scande la berceuse originelle, le refrain généalogique, le chant primitif qui devait endormir et rassurer les hommes lorsqu'ils campaient dans le ventre de la terre. Elle susurre le prénom de celle qui donna la vie à votre aïeule pour qu'elle donne à son tour un prénom à celle qui vous nomma. Et de prénom en prénom, vous pourriez, en fouillant le sexe de la terre, cheminer jusqu'à l'origine du monde...

Ce qui fait le bonheur de l'enfance, c'est l'enfance elle-même. Quand on peut se lever et ne penser à rien...

Yves

La France représentait avant la guerre le pays de la liberté et de la joie de vivre...

Salomon

Ils sont venus en France, pensant qu'ici tout serait bien, que ce serait le pays du lait et du miel...

Betty

Mes parents étaient comme ces oiseaux migrateurs qui, dans chaque pays où ils font halte, construisent un nid provisoire et pondent un œuf. Si nous, les enfants, nous parlions entre nous le français, Papa et Maman, eux, parlaient yiddish ou hongrois. Mon père, un aventurier et un rêveur, avait soif d'autres mondes.

Maurice ROTH, *L'Enfant coq,*

Nous sommes arrivés à Paris le 14 juillet 1933. Petite fille éberluée, au milieu de tous ces gens qui dansaient dans les rues, de tout ce monde en fête, je m'étais posé la question de savoir si les Français dansaient tous les jours ainsi, si chaque jour en France était célébré comme une fête.

Henny

Lorsqu'ils sont arrivés à Paris, mes parents étaient encore tout jeunes. Ils ne parlaient pas un mot de français. C'était un matin de novembre, il faisait froid, les poubelles encombraient les rues... Paris leur semblait sale en comparaison de Varsovie. Ils avaient voyagé toute la nuit ; ils avaient pour tout bagage un numéro de téléphone à Belleville. Après avoir posé leurs valises à la consigne, ils sont allés dire bonjour à la personne dont ils avaient les coordonnées. Quand cette dame les a vus arriver, si jeunes, si épuisés, si désemparés, elle leur a dit : « Écoutez, les enfants, reposez-vous. Moi, je vais travailler, on se verra plus tard. » C'était leurs premiers pas à Paris.

Madeleine

Je suis née le 1er octobre 1930 à Strasbourg. Mon père était chirurgien. Maman était fille de pharmaciens. Mes aïeux étaient strasbourgeois depuis plus de deux siècles.

Anne-Lise

Les deux familles de mes parents étaient russes, l'une de Kiev, l'autre de Moscou. Elles étaient arrivées en France en 1917, après la révolution. Elles avaient fui par la Finlande. Elles connaissaient la France. Elles y venaient en vacances. Mes deux parents ont appris le français avant même de parler russe. Ils parlaient aussi l'anglais et l'allemand. Dans leur milieu très privilégié, le travail n'était pas du tout la préoccupation première. Malgré les aléas de l'histoire, ils avaient préservé leur fortune et menaient une vie dorée, brillante et vraiment sans souci.

Denise

Ma grand-mère est arrivée en France avec ma mère bébé. Sa famille était très pauvre. Ils habitaient une toute petite maison et ils avaient comme seul capital une demi-vache, l'autre demie étant à des voisins.

Simone

Mes parents sont nés en Pologne où ma mère a connu la plus atroce des misères. Elle a souffert de la faim pendant toute son enfance. Elle a marché pieds nus, jusqu'à l'âge de dix ans. Son père vendait des peaux de lapins. Ils habitaient à neuf dans une seule pièce. Il n'y avait pas de lits pour tout le monde. La petite sœur de ma mère est morte, car il n'y avait pas assez d'argent pour payer le médecin.

Ma grand-mère, n'ayant pas de quoi nourrir ses enfants, se levait à quatre heures du matin pour aller voir comment on trayait les vaches, pour aller vérifier si le lait n'était pas mêlé à celui d'une truie. Ma mère n'est jamais allée à l'école à cause de l'antisémitisme qui régnait en Pologne. À l'âge de dix ans, elle travaillait déjà dans un atelier voisin où elle faisait des journées de dix-huit heures derrière sa machine, se nourrissant seulement d'un morceau de pain sec et d'un oignon. Quand elle rentrait au village, le soir, les Polonais l'attendaient et lui jetaient des pierres en lui disant: «Sale Juive, retourne en Palestine.» À seize ans, elle est allée à Varsovie, chez un tailleur, où elle dormait dans un sous-sol avec les rats. Comme elle avait une sœur à Paris et qu'elle voulait aller la voir, elle avait le choix entre manger et ne pas avoir d'argent, ou ne pas manger et avoir de l'argent. Elle a économisé sou par sou pour acheter son billet de train pour la France. Mon père était très pauvre lui aussi. Ils se sont mariés en 1932 et, le jour de son mariage, ma mère n'avait même pas une robe à se mettre. Elle a emprunté une robe d'été. Je suis née le 28 mars 1933, l'année de l'arrivée au pouvoir d'Hitler. Nous habitions une chambre humide, impasse Saint-Sébastien, à Paris. Papa qui était tailleur avait beaucoup de mal à trouver du travail. Un jour, Maman a pleuré toutes les larmes de son corps parce que l'épicier avait refusé de lui faire crédit d'un litre de lait pour moi. Une autre fois, alors qu'elle avait économisé toute l'année pour m'acheter des chaussures, on lui a volé son porte-monnaie avec tout son argent sur le marché de Belleville.

Madeleine

Je m'appelle Lola et je suis née le 22 juillet 1934 à Paris 10e. Mes premiers souvenirs d'enfance remontent à l'âge de quatre ans. J'habitais une maison dans le 20e arrondissement. Nous avions une pièce avec une cuisine; l'eau se trouvait dans la cour. Il était hors de question d'avoir des toilettes à la maison. L'après-midi, toutes les mères se retrouvaient dans cette cour. Les pères étaient partis travailler. Les femmes se retrouvaient, chacune avec un tricot, et ma mère arrivait avec des chaussettes à repriser, qu'on ne reprisait jamais avec un œuf selon la coutume française, mais avec un verre! Elle ne parlait que trois mots de français. Dans la cour, les familles françaises et les familles arméniennes se mélangeaient. Tout le monde était pauvre. Et de toute façon, pauvres ou moins pauvres on jouait tous ensemble, on dessinait sur les murs de la cour, où il y avait également un jardin, un potager et des clapiers... L'ambiance était si chaleureuse...

Lola

Nous habitions à Paris au 5 *bis*, rue du Dahomey. Dans un immeuble délabré typique du 11e arrondissement situé dans une petite rue bien modeste et sans beauté aucune. Le 5 *bis*, comme beaucoup d'autres immeubles de la rue et du quartier, était un vieil immeuble parisien, conçu et construit sans doute par le plus mauvais des architectes français du début du XIXe siècle avec la bénédiction de la ville de Paris. Un vieil immeuble dans lequel vivaient, entassées les unes sur les autres, dans des conditions de vie déplorables, de nombreuses familles d'ouvriers et d'artisans qui, n'ayant pas les moyens de s'offrir un meilleur logement, s'estimaient quand même heureux d'avoir un toit sur la tête. Les souvenirs que j'en retiens se situent entre la tendresse et le dégoût. Tendresse parce que je pense au calvaire de ma mère qui travaillait comme une bête pour prendre soin de ses cinq enfants et de son mari dans des conditions terriblement difficiles. Je pense aussi à mon père qui lui aussi travaillait très durement pour subvenir aux besoins de sa famille alors que les conditions économiques en France et dans le monde étaient si défavorables en ces années d'avant-guerre. Dégoût car je me souviens, comme dans un mauvais cauchemar, qu'il n'y avait pas de W-C dans notre logement et qu'il fallait partager un seul W-C commun, situé sur le palier, avec les locataires des trois autres logements de l'étage.
Le fait de vivre dans des conditions matérielles très modestes, dans des îlots d'habitations pauvres et sans hygiène, ne nous empêchait tout de même pas d'être heureux. Car même s'il y avait beaucoup de pauvreté dans ces quartiers insalubres, il y avait aussi beaucoup de joie, d'amour et de bonheur...

Léon

L'arrière-boutique servait de salle à manger. Un corridor sans fenêtre faisait office de cuisine et menait vers la seule chambre à coucher où toute la famille s'entassait le soir pour dormir...

Claudine Burinovici-Herbomel, *Une enfance traquée*,

Comme toutes les ménagères du quartier, ma mère allait faire ses courses tous les jours. Tout ce qu'elle achetait, elle le traînait dans un filet. Il y avait un marché quotidien dans le faubourg Saint-Antoine, en face de la rue Saint-Bernard. C'est là qu'elle achetait en général ses fruits et légumes. J'allais souvent avec elle, car j'adorais aller au marché. Dans ce cas, je l'aidais à porter son filet. Je me souviens en particulier, ça me fend le cœur d'y penser, qu'elle allait souvent au marché tard le matin afin de profiter des « occasions » lorsque le marchand des quatre-saisons, voulant se débarrasser de ce qui lui restait sur son étalage, offrait ses fruits ou légumes à un prix nettement réduit. De retour à la maison, si les pommes ou les oranges qu'elle venait d'acheter étaient légèrement « touchées » par un début de pourriture, elle découpait la mauvaise partie du fruit.

Léon

Nos rapports avec la communauté juive de Besançon étaient particuliers : dans cette ville de province, la communauté juive était scindée d'une façon très nette. Il y avait d'une part les Juifs français, dont les familles étaient là depuis de nombreuses générations. En plus de se considérer comme de vrais Français, ils avaient une très grande supériorité économique. C'est eux qui avaient les grands magasins, les tanneries, les gros magasins de fourrure. Et puis il y avait les Juifs comme notre famille à nous, qui arrivaient de Pologne, ou de Roumanie, ou de Russie, ou de Hongrie, qui étaient des tout petits commerçants, des tailleurs, voire des cordonniers, des marchands forains. Et il est évident que ces deux communautés ne cohabitaient pas.

Suzanne

Mon premier souvenir dans la vie reste celui de l'alcôve où je suis née, une pièce sombre garnie de rideaux. Et les odeurs. Des odeurs de pauvreté. L'odeur du vieil escalier qui montait à notre chambre. Les toilettes sur le palier, l'odeur d'un lieu où certainement le chauffage n'existait pas. Un lieu humide et sombre.

Marion

Avant la guerre dans les quartiers populaires, l'antisémitisme était déjà bien développé. Les insultes et le mépris à notre adresse étaient monnaie courante ; les expressions « sale Juif, sale Youpin, retourne dans ton pays » revenaient très souvent. Le fascisme en Allemagne et en Italie ainsi que la guerre civile en Espagne ne faisaient que l'amplifier.

Lazare

Ma sœur et moi sommes nées à Paris en 1930 et 1929. Mes parents ne pratiquaient pas de religion et, leur rêve étant l'intégration, je ne savais rien du judaïsme.

Marie

Lorsque j'avais huit ans, avant-guerre, mes petites camarades allaient au catéchisme, faisaient leur communion, toutes choses qui me fascinaient parce qu'elles avaient des cadeaux, parce qu'elles avaient de belles robes blanches... Un dimanche après-midi, je suis sortie de la maison et je suis partie avec mes camarades à l'église, pas très loin du domicile de mes parents. Mon père est sorti, a voulu savoir où j'étais, et quelqu'un lui a raconté qu'on m'avait vue partir avec d'autres enfants à l'église. Il est venu m'y chercher. Je le vois encore me faire sortir avec des religieuses, des prêtres qui râlaient et le faisaient taire, et je l'entends me dire à la sortie : « Tu vois, dedans il fait noir, c'est moche, ça n'a aucun intérêt. Dehors il fait beau, il y a du soleil. On va aller se promener, on va aller au bois. Maintenant, si un jour tu éprouves un besoin religieux, ce qui, à mon avis, n'a pas de sens – disait-il – mais ça peut t'arriver, alors tu as une religion qui vaut largement celle des autres, et en aucun cas on en change. »

Irène

Je me souviens de l'odeur de ma mère ; elle a collé à moi pendant de longues années. Une odeur de lessive, de bois humide qui brûle sous la lessiveuse ; des odeurs de cuisine aussi, odeurs d'enfants, odeurs indéfinissables et sans nom. Inconnues des autres. Odeur de sueur, de four de boulanger. Tout le bouquet d'une mère juive.

Maurice Roth, *L'Enfant coq*,
op. cit.

Autour de moi, les grandes personnes de ma famille parlaient peu, mal ou pas du tout le français. Elles s'exprimaient presque toujours en yiddish, cette langue judéo-allemande des Juifs ashkénazes d'Europe centrale. Langue toute en rondeurs, si imagée et si pleine de tendresse ! Langue dans laquelle on ne se contente pas de dire : « Allez ! » mais où l'on dit : « Allez en bonne santé ! » Langue dans laquelle il est presque inconcevable d'appeler un enfant par son prénom sans y ajouter un diminutif doux à l'oreille. Ce qui fait que, toujours, un enfant se sent aimé. Même quand ces yiddishisants s'exprimaient en français, ils ne pouvaient s'empêcher de traduire les pudiques mots tendres qui, mine de rien, distillent de l'amour. Ainsi, plutôt que de m'appeler « Chanè », mon prénom en yiddish, on préférait « Chanèlè ». Et lorsqu'on m'interpellait en français, ce n'était jamais « Annette », mais « Annèttèlè » ou « Annètkèlè ». À ceux qui ne comprennent pas ces nuances, je peux affirmer qu'elles changent tout ! C'est comme une caresse qui envelopperait les mots. Comme un sourire... pour faire plaisir. Ou comme une main que l'on tient. C'est quelque chose qui se donne comme ça... Juste pour se faire du bien.

Annette ZAIDMAN, *Mémoire d'une enfance volée (1938-1948)*,

À Noël, avec ma poupée et l'invariable Meccano pour mon frère, nous avons droit chacun à un petit filet contenant deux oranges. C'est pour nous un fruit de luxe. Nous les gardons des semaines, les faisons passer d'une main à l'autre, et quand, enfin, nous nous décidons à les manger, elles sont toutes sèches.

Claudine BURINOVICI-HERBOMEL, *Une enfance traquée*, *op. cit.*

Mes parents s'aimaient et m'ont beaucoup aimée. Je suis née en 1935. Les souvenirs les plus doux de mon enfance se rattachent à mon père. C'est mon père me faisant sauter en l'air. J'avais peut-être deux ans, et lui et moi nous rions aux éclats, et ma mère a peur. C'est mon père me mettant sur un énorme chien pour faire le tour de la place, le chien du facteur. C'est mon père m'apprenant à faire du vélo. Mon père m'apprenant à nager dans la Marne. C'était un homme très doux, très tendre et j'ai su après que c'était aussi un homme intelligent, qui avait beaucoup d'humour ; un homme très calme, très modeste. Il s'occupait beaucoup de moi et je l'adorais. J'étais fille unique.

Micheline

Mes parents s'aimaient beaucoup. C'était très gai. Ils chantaient tout le temps. Maman faisait la cuisine à la mode polonaise. Chez moi, on ne faisait pas de prière, on allait une fois par an à la synagogue la plus proche, rue Pavée. On y allait à pied à Yom Kippour. Le reste du temps, mon père n'était pas religieux non plus. On ne pratiquait rien du point de vue religieux. Mon père jouait du violon, il avait appris en Pologne. Mes oncles aussi jouaient d'un instrument à cordes, du violon et de la mandoline. Ils jouaient, comme ça, un peu à l'oreille. Et souvent, quand il avait un peu de loisirs, ma mère chantait, Papa l'accompagnait. C'était une ambiance sereine.

Georgette

Je suis née à Paris, dans le 12e, le 15 janvier 1932. Mes parents sont arrivés en France en 1930. Mon père était polonais, d'un petit village qui s'appelait Kielce. Il avait fui le chômage. Il était tailleur, et il devint par la suite modéliste. Maman est arrivée un an après. Ils ne savaient, ni l'un ni l'autre, parler français. Nous habitions rue du Faubourg-du-Temple, au 19 exactement. Nous étions dans une pièce où il n'y avait pas d'eau. L'eau était dans le couloir, mais qu'importe. Papa a trouvé très rapidement du travail, dans un milieu juif polonais. Beaucoup à l'époque étaient venus à Paris espérant bien travailler. Et c'est grâce aussi à la camaraderie, à la bonne entente de tout ce milieu-là que Papa a trouvé de quoi nous faire vivre. On a vécu comme ça de nombreuses années, sans être inquiétés. Mes parents apprenaient petit à petit à parler français, à se débrouiller, sans aucune aide, sans rien. Quand ils ont pu gagner un peu d'argent, ils ont loué un petit appartement au 20-22, rue Sedaine à Paris. Et moi, j'allais à l'école boulevard Richard-Lenoir. Papa travaillait très bien. On était heureux dans notre petit logement, deux pièces, une cuisine et une petite pièce pour sa machine à coudre. Et tout allait très bien. Il nous est arrivé de prendre des vacances une fois à La Bourboule et c'est tout. On n'avait pas de machine à laver, à l'époque, on n'avait pas de voiture, on n'avait rien, mais on vivait heureux.

Gabrielle

La famille de mon père avait fui la Pologne devant l'armée Rouge au moment de la révolution. Comme ma mère, il est venu à Paris au début des années 1930. Ils se sont rencontrés en faisant la queue à la préfecture de police pour essayer d'avoir des papiers.

Mon père était fourreur. Ma mère aidait ma tante qui était couturière à domicile. Après leur mariage, mes parents se sont installés et ont fait du tricot. Ils montaient des gilets, des pull-overs, à la surjeteuse, ils travaillaient à la maison.

Henriette

Mon père a travaillé de 1930 à 1939 comme livreur chez un boutonnieriste. Son travail consistait à aller chercher des costumes neufs dans les ateliers de confection situés en haut des étages sans ascenseur pour les amener chez son patron où se faisaient les boutonnières et les ramener ensuite, et tout cela avec un triporteur sans moteur. Le travail était très pénible, mais mon père avait du cœur à l'ouvrage. À la déclaration de la guerre, il s'est engagé dans la Légion étrangère. Il a été fait prisonnier devant Soissons après une résistance héroïque qui a vu la mort de la plupart des combattants de son régiment.

Albert

Rue du Coteau, il y avait plein de petites marchandes de quatre-saisons. C'était très commerçant. Et, de temps en temps, Maman m'achetait une banane quand elle m'emmenait faire les courses. Qu'est-ce que c'était bon ! Rue Ordener, il y avait la mairie et un peu plus loin, il y avait un glacier qui était très connu. Et l'été, il y avait énormément de monde. Tous les Juifs du quartier se voyaient ; ça parlait yiddish ; on se retrouvait tous. Je me rappelle que le soir, les enfants couraient dans la rue, on jouait à la marelle et puis après on faisait le tour du quartier, on sonnait à toutes les portes exprès pour embêter les concierges. Et les gens se parlaient d'une fenêtre à l'autre. Ils nous regardaient jouer et en même temps on se parlait entre voisins. Tout le monde se mettait à sa fenêtre…

Denise

J'ai encore dans les oreilles le bruit des chevaux qui traînent de grands chariots dans lesquels d'innombrables bidons de lait s'entrechoquent. C'est aux premières lueurs du jour, nous n'avons pas besoin de regarder l'heure, il faut se lever. Ce sont de gros et forts percherons avec des œillères noires. Paris est imprégné de l'odeur de leur crottin. Devant chaque crémerie, le livreur, du haut de son siège, crie « Ho ». Docilement, le cheval s'arrête. Les bidons déposés, l'homme donne un petit coup de fouet et tranquillement l'animal repart pour sa tournée.

Une impression de sérénité et d'éternité se dégage de ces instants. Ainsi, avant d'aller à l'école, nous allons avec un petit bidon chercher un litre de lait tout fumant. Lorsque c'est mon tour, l'odeur m'écœure et je me bouche le nez pour ne rien sentir. Le vitrier, le rémouleur et le petit vendeur de graines pour oiseaux font partie du paysage parisien. L'un hurle : « Vitrier, vitrier ! », le second : « Ciseaux, couteaux ! », le troisième : « Du mouron pour les p'tits oiseaux. » Le marchand de glace débite dans de longs pains des morceaux que l'on met dans des garde-manger accrochés aux fenêtres des cuisines, afin de garder les aliments au frais. Le marchand de peaux de lapins passe et repasse, ma grand-mère lui en achète souvent et nous les fait mettre sur la poitrine pour nous protéger du froid. Nous suivons des yeux l'homme-orchestre qui joue avec la tête, les jambes, les mains, les pieds : grelots, cymbales, harmonica, sifflet, que sais-je encore, un singe perché sur une épaule. Le dimanche lorsqu'il fait beau, les concierges sortent une chaise, s'assoient devant les portes d'immeubles, regardent les passants et bavardent entre elles tout en tricotant. De notre fenêtre, nous aimons jeter quelques pièces enveloppées dans du papier journal aux chanteurs dans la cour. Scènes ordinaires de la vie parisienne.

Claudine BURINOVICI-HERBOMEL, *Une enfance traquée*, *op. cit.*

Le dimanche, c'est presque toujours la même sortie en famille. Nous arpentons le boulevard de Clichy, écoutant les musiciens de jazz à la terrasse des cafés. Nous regardons les forains installés à l'année sur le boulevard : cracheurs de feu, jongleurs, haltérophiles, tireurs à la carabine, femmes à barbe. Les chanteurs de rue distribuent des partitions aux badauds qui, au son de l'accordéon ou de l'orgue de Barbarie, reprennent en chœur, avec des trémolos dans la voix, *Sombre Dimanche*, *L'Entrecôte*, *La Rose blanche*, *Sous les ponts de Paris* et tant d'autres rengaines. Quand nous arrivons place Blanche, je détourne mon regard pour ne plus voir le cabaret dont la devanture représente une caricature de l'Enfer qui me fait peur. Plus loin, un mendiant aveugle se tient près d'un vieil ours enchaîné tout pelé, qui porte à son cou une sébile où les passants jettent quelques pièces.
L'été, il nous arrive de partir en train prendre l'air à Garches, à une quinzaine de kilomètres de Paris. Nous y déjeunons sous les tonnelles fleuries d'une petite guinguette, où, dit l'écriteau accroché à la porte, « on peut apporter son manger ». Nous buvons de la limonade en écoutant les flonflons de bal musette, je mets ma robe des

dimanches, mon frère son costume marin et Maman son chapeau à voilette.

Claudine BURINOVICI-HERBOMEL, *Une enfance traquée, op. cit.*

L'année 1940 commençait et l'armée allemande triomphait partout: c'était la débâcle. On entendait dire que les Allemands arrivaient. Nous avions très peur. Des personnes de la parenté étaient parties pour l'Amérique, d'autres pour la Suisse. Dans les environs de Dinard, un dépôt de munitions a sauté. Une épaisse fumée noire nous a envahis. Les gens partaient sur les routes en direction de Bordeaux et du Sud-Ouest. Ils étaient mitraillés par les Italiens. C'était l'exode.
On avait appris que des soldats avaient embarqué à Dunkerque pour l'Angleterre et qu'ils avaient été bombardés par les Allemands. Il y avait beaucoup de morts.

Arlette

Sur la route, mon père, ma mère et les quatre enfants, on s'est entassés dans la Citroën B14, «familiale» comme on disait à cette époque-là. Sur le toit s'empilait le bazar hétéroclite des transhumances improvisées: des matelas, des bassines. Un peu avant Compiègne, des avions nous ont mitraillés. Il a fallu se cacher sous la voiture, et tout le monde criait...

Georges

Le samedi 15 juin 1940, les maires du département du Loiret ont l'ordre d'évacuer immédiatement la population, pour distancer l'avance allemande. Chaque famille rassemble quelques vêtements, un peu de nourriture. Les uns s'entassent dans de vieilles voitures remplies à ras bord, les autres se juchent sur des charrettes, les gens valides marchent à côté, certains poussent des brouettes. Avec tous les réfugiés venus de Paris, cela fait beaucoup de monde. Quelques animaux suivent: vaches, chèvres, chiens. L'interminable cortège s'ébranle. Maman est enceinte de six mois, je me tiens près d'elle. Elle est livide, la peur et la lassitude se lisent sur son visage. Je ne la quitte pas des yeux, je voudrais la protéger. Tout le long de la route les jardins sont dévastés, les magasins pillés. Mon frère et moi suivons le mouvement et entassons dans des sacs, et dans la bousculade, ce que nous trouvons. Soudain, comme pour nous pousser plus vite, des avions sillonnent le ciel, descendent en piqué sur le convoi et nous mitraillent. Ce sont les Allemands qui nous prennent pour cible. Quelques morts sont abandonnés sur le bas-côté. Désormais la peur nous tient, car l'épisode se répète plusieurs fois. La caravane piétine. Personne ne sait vraiment où nous allons. Pas bien loin : peut-être avons-nous parcouru une vingtaine de kilomètres en trois jours avec, au-dessus de nos têtes, ces avions, aigles noirs qui tournoient et nous tourmentent. Soudain une rumeur circule : nous devons rebrousser chemin. De qui vient ce nouvel ordre ? De l'armée française dont l'exode gêne le repli vers le sud ? On entend dire que la France a perdu la guerre et que l'armistice est proche. C'est la déroute, certains décident de continuer, mais il n'y a plus d'essence et les voitures sont abandonnées.

Claudine BURINOVICI-HERBOMEL, *Une enfance traquée, op. cit.*

Nous fîmes en tout deux cents kilomètres à pied en direction du Mans. Les Allemands arrivaient de toutes parts.
J'avais les pieds en sang, j'ai vraiment souffert. Alors que tous les gens qui tenaient des commerces avaient fermé boutique parce que les Allemands arrivaient, j'ai assisté à des pillages incroyables. Lorsque nous nous sommes arrêtés par la force des choses, mon père a voulu qu'on aille voir un marchand de chaussures parce que je ne pouvais plus marcher. J'essayais des espadrilles, quelque chose qui pouvait se tenir ouvert derrière tant je souffrais. Le chausseur pleurait parce qu'il disait : « Mais si au moins les pillards avaient pris deux chaussures assorties. Mais je me trouve avec une chaussure, je cherche l'autre. Elle n'est pas là. Ils ont pris n'importe quoi. Je suis ruiné. » Et beaucoup de commerçants n'ont eu que leurs yeux pour pleurer parce qu'ils ont été victimes de l'exode et de ses fuyards…

Faire une marche pareille, ça n'avait pas été évident. Sur les routes, nous avions croisé des poussettes dans lesquelles on mettait des grands-mères. Ma sœur avait voyagé dans un chariot à roulettes, avec les sacs de voyage. Mais petit à petit, on avait fait comme tout le monde. On avait tout abandonné sur la route ; l'important pour nous étant de conserver un peu d'alimentation. Quant au reste, tout le monde avait pratiquement tout perdu. C'était trop lourd à porter. Nous avions été bombardés et mitraillés par les aviateurs italiens. Leurs bombes faisaient des trous énormes à côté de nous. La mort pleuvait à droite, à gauche. Tout le monde essayait de se coucher sur l'herbe…

Renée

J'ai vu arriver les Allemands à Paris. J'étais au métro Temple : j'ai vu les Allemands défiler en rang, et j'ai vu la totalité des Français applaudir des deux mains. Ils étaient au moins sur cinq, six rangs, les trottoirs étaient noirs de monde… Tout le monde applaudissait les Allemands…

Albert

La France a signé sa capitulation le 25 juin 1940. Dinard était occupé, ainsi que Paris. N'ayant plus d'autre endroit où aller, nous sommes retournés à Paris. J'ai repris ma scolarité au lycée. Paris était devenue une ville allemande. Drapeaux nazis, bruits de bottes, parades et vociférations en allemand. Cela me faisait mal, me faisait peur et nous assistions à tout cela, impuissants.
Nous, Juifs français « assimilés », avions vu arriver avant-guerre des Juifs étrangers venant de Pologne, d'Allemagne, qui racontaient des choses horribles ! Nous savions donc, en partie, de quoi les Allemands étaient capables envers les Juifs. Nombre de Français, influencés sans doute par la propagande du gouvernement collaborationniste de Vichy, les trouvaient « corrects » ! La France était alors gouvernée par le maréchal Pétain et divisée en deux zones : une occupée par les Allemands, et l'autre non : la « zone libre ».

Arlette

Dans ces premiers jours de l'Occupation, je ne me souviens de rien de désagréable, rien de noir, rien de tragique. Bien au contraire : assez rapidement, les gens du quartier n'ont pas hésité à remarquer que « les Allemands n'étaient pas aussi salauds qu'on nous l'avait laissé entendre », qu'ils n'étaient pas du tout des brutes, qu'il y en avait même qui étaient très sympas, très chouettes. En tout cas, certainement pas des barbares. Et puis qu'ils étaient très gentils, car ils pensaient à la population. Ils donnaient des concerts à Paris, dans les kiosques, pour les Parisiens.
Pour nous, les mômes du quartier, c'était effectivement un spectacle à voir que d'observer une fanfare allemande marcher impeccablement, tout en jouant une musique martiale, jusqu'au kiosque du coin où ils allaient donner un petit concert que tous écoutaient avec plaisir. À la fin du concert, les soldats nous donnaient même des bonbons ou de petites tablettes de chocolat.

Léon

Chapitre 2

Tempête

Il vous a fallu prendre la mer de jour et par gros temps... Abandonner la chaleur de votre lit d'enfant, celle des grasses matinées des jours sans école. Il vous a fallu délaisser la quiétude des semaines de vacances, des après-midi d'été, la magie des heures calmes, la douceur des instants qui pouvaient relier la fin de la sieste au bain du soir. Affronter en famille cette tempête qui couvait depuis des années et des années...

Il y avait eu depuis longtemps des signes précurseurs de l'épidémie qui couvait sous le vent; des réflexions dans la rue, ou dans la cour de récréation, des regards chez certains commerçants, des petites phrases dans certains journaux, dans certains livres et dans les salons, des graffitis sur les murs...

Progressivement, lentement mais sûrement, vous étiez devenu « l'autre »... L'étranger, l'envahisseur, le prédateur, le coupable; celui qui incarne une menace mystérieuse d'autant plus redoutable qu'elle semble venir d'ailleurs: de l'autre famille, de l'autre village, de l'autre rive, de l'autre port, de l'autre pays. Une menace d'autant plus effrayante qu'elle outrepasse les petites limites, les petites frontières de l'esprit simple.

Ceux qui vous entourent sont comme vous... Ils ont deux visages: ils ont toujours besoin d'un ami, d'un confident; d'une âme vers laquelle épancher le trop-plein de leur cœur, de leurs joies, de leurs chagrins, de leurs premières amours et de leurs premiers échecs.

Mais à l'inverse, ils ont tout autant besoin d'ennemis... Ils ont toujours besoin de clouer quelqu'un au pilori de leurs fantasmes, afin de mieux pouvoir lui cracher au visage le vitriol de leurs disgrâces, de leurs faiblesses, de leurs infortunes...

Ainsi vint le temps de la mise en quarantaine... dont vous ne saviez pas qu'elle durerait près de cinquante mois, entre les toutes premières et les toutes dernières mesures qui inscriraient dans la loi, officiellement et aux yeux de tous, chacune des stations de votre calvaire...

Il vous a fallu d'abord bien sûr affronter la haine... Une haine féroce et débridée. Une haine d'autant plus effarante qu'elle venait percuter soudainement l'onde claire et tranquille de vos yeux d'enfant... Une haine mortelle, une haine de grandes personnes, qui venait s'amplifier dans le regard de certains de vos petits « camarades » de jeux...

Il y avait la haine des intellectuels et des puissants, qu'ils soient allemands ou français, souvent proportionnelle à l'étendue de leurs pouvoirs, à la hauteur de leurs titres, de leurs grades ou de leurs intelligences...

Il y avait la haine des petites gens... Souvent proportionnelle à l'étendue de leur misère. Elle leur donnait l'illusion d'émerger, d'exister, de jouer un rôle, parce qu'ils étaient tout à coup investis du pouvoir de nuire et de détruire... Cette haine qui leur donnait l'illusion de pouvoir se venger de tout l'amour qu'ils n'avaient pas reçu...

Il vous a fallu affronter l'insupportable mortification, l'incroyable déchéance qui naît toujours des grandes désillusions...

Votre plus grand choc, vous l'avez ressenti lorsque vous avez réalisé que la communauté à laquelle vous apparteniez, cette communauté en danger d'extermination, pouvait ne pas être solidaire... Égoïsme illusoire de ceux qui pensaient que l'ancienneté de leurs racines ou que la nature de leurs états de service les protégeraient. Lâcheté de ceux qui n'avaient pas fait partie des premières rafles parce qu'ils étaient provisoirement protégés par leur nationalité... Cupidité de ceux qui pouvaient acheter leur immunité en trahissant leurs frères...

Vous avez mis un peu plus de temps à comprendre que certains idéologues français pourraient être plus nazis que certains nazis ; qu'ils traduiraient leur fanatisme dans des textes de loi qui ne chercheraient même pas à travestir leur volonté d'exterminer votre race en donnant à leurs manœuvres l'apparence d'une guerre de Religion...

Il vous a fallu un peu plus de temps encore pour jauger la grande versatilité des foules et pour braver l'incroyable, l'impensable indifférence des autres, de tous les autres... puissants ou misérables... L'étonnante lâcheté des regards qui vous reprochent implicitement la gêne dont vous êtes la cause, à moins qu'ils ne vous accusent, ces regards, fusillant d'un clin d'œil l'étoile jaune cousue sur votre cœur... L'invraisemblance des visages qui se détournent, des cœurs qui se blindent, des sensibilités qui s'effacent... L'absence de réactions lors de la publication de lois monstrueuses, lors de l'arrestation des familles, lors de l'intrusion de la police dans les écoles... L'absence de réactions devant le départ des autobus ou des wagons, l'envoi des lettres anonymes, le pillage des appartements, la spéculation sur le marché noir, le racket des fugitifs ou pis encore leur trahison. L'ignorance feinte, le refus de savoir, l'obstination à vouloir croire et faire croire que des vieillards grabataires ou que des bébés pouvaient avoir une destinée dans de prétendus camps de travail...

On s'habitue si vite à l'indifférence. D'une certaine façon, la traque des autres est rassurante pour ceux qui pensent qu'ils n'en seront pas les victimes.

Combien de foules acclamant les bourreaux et les traîtres lorsqu'ils venaient parader sur les places des grandes villes... Et si peu de résistants dans un pays vaincu qui préférait accepter l'humiliation commune, la servilité d'un peuple plutôt que de combattre l'humiliation de chaque individu...

Ma douce mère – occupée comme elle était à prendre soin de cinq enfants – avait peu de contacts avec les non-Juifs. Commissions journalières, préparation des repas, vaisselle matin et soir, une énorme quantité de linge à laver, nettoyage de la maison, débarbouillage des gosses, et mille autres corvées plus dures les unes que les autres.
Son travail d'« esclave » ne lui avait laissé aucun moment pour bien apprendre le français. Elle se débrouillait quand même tant bien que mal quand elle y était obligée, mais la plupart du temps elle comptait surtout sur nous trois – les grands – pour traduire ou écrire tout ce qui demandait des communications en français. Parfois, cependant, elle y allait allégrement de son français qui laissait beaucoup à désirer avec un accent yiddish épouvantable. Le pire, et j'en suis malade aujourd'hui rien que d'y penser, est que j'avais un peu honte de l'entendre parler français avec un tel accent devant mes copains ! J'essayais de la corriger, mais sans succès. J'étais jeune et bête et n'avais encore rien compris de la vie.

Léon

En 1938 est rentré chez nous un livre qui était le seul livre que je n'avais pas le droit de lire : il était dans la table de nuit de mes parents, et il a suffi qu'un jour ils ne soient pas là pour que, comme toutes les petites filles, j'aille l'ouvrir. Il renfermait des photos et des descriptions de ce qui se passait à Buchenwald. On y montrait en photo le lieu où on pendait les gens et on y voyait le maire d'une petite ville allemande qui était communiste. On l'avait obligé à faire le chien, c'est-à-dire à marcher à quatre pattes et à aboyer. Et puis, on voyait le lieu où on pendait avec un pendu. Ça m'avait beaucoup impressionnée.

Michèle

Nous avions, nous, comme tout le monde, une belle photographie du maréchal Pétain dans la salle à manger, et mes parents étaient absolument sûrs que, protégés par le pape en tant que Juifs séfarades, protégés par Pétain en tant que Juifs français, moi je l'étais du moins, on ne risquait strictement rien...

Jean

Faites-leur porter l'étoile de David ! Comme nos pères, nous devons mettre fin à leurs abominables trafics ! Révisons d'abord les naturalisations ! Appliquons-leur le statut des étrangers ! Saisissons leurs biens au profit des victimes de la guerre et des sinistrés. Et obligeons-les à porter enfin – bien en évidence sur leurs vêtements – le signe distinctif de leur véritable identité... Du jaune sur leurs habits, d'urgence, si nous ne voulons pas comme le disait notre Edmond de Goncourt, être bientôt nous-mêmes « domestiqués et ilotisés » !...

Tract distribué dans la rue, 1940

Ils apportent là où ils passent l'à-peu-près, l'action clandestine, la concussion, la corruption et sont des menaces constantes à l'esprit de précision, de bonne foi, de perfection qui était celui de l'artisanat français. Horde qui s'arrange pour être déchue de ses droits nationaux, et braver ainsi toutes les expulsions et que sa constitution physique précaire amène par milliers dans les hôpitaux qu'elle encombre.

Jean GIRAUDOUX, *Pleins pouvoirs*,
© Gallimard, 1939

Quel tribunal, en effet, oserait nous condamner si nous dénoncions l'envahissement extraordinaire de Paris et de la France par des singes ? Vous n'êtes pas sans savoir que jadis les singes étaient cantonnés dans certaines régions, voire dans certains jardins d'acclimatation. Aujourd'hui, on en voit partout... Il faut reconnaître qu'il se développe dans le public un assez vif complexe anti-singe. On va au théâtre ? La salle est remplie de singes. Ils s'accrochent partout, aux balcons, aux avant-scènes. Dans l'autobus, dans le métro ? Des singes. Je m'assieds innocemment au café ? À ma droite, à ma gauche, deux ou trois singes prennent place : leur habileté à imiter les gestes des hommes fait que parfois nous ne les reconnaissons pas tout de suite... Ce que nous appellerons l'anti-simiétisme (veuillez bien lire, je vous prie) devient chaque jour une nécessité grave !

Robert BRASILLACH,
Je suis partout, 31 mars 1939

Il y avait une marchande de poissons, qui était vraiment comme on pouvait se la représenter : la marchande de poissons grosse, forte, avec des joues rouges, des tabliers bleus, des jupes longues. Et elle était vraiment profondément antisémite ! Nous avions des W-C à mi-étage et c'était toujours : « Cette Juive qui avait mis quelque chose dans les W-C et qui les rendait inutilisables. » On avait aussi une crémière qui était rue de Tourtille ; dans sa crémerie, tout brillait, tout était astiqué... C'était aussi quelqu'un de profondément antisémite. Ma mère était très propre ; on allait chercher du lait avec le broc à lait, et quand je faisais la queue, la crémière ne regardait même pas le pot et me disait : « Moi, je ne mets pas de lait dans un pot qui n'est pas propre. Tu retournes chez toi et tu demandes à ta mère de le relaver. » Je repartais en pleurant. Ma mère ne relavait pas le pot parce qu'il était propre, mais il fallait y retourner... C'était le genre de vexations que nous subissions...

Lola

On n'avait pas de jouets et quand j'avais cinq, six ans, me revient le souvenir qu'une petite fille, une petite Française que gardait Mme F., avait une jolie poupée avec une petite croix. J'ai volé la petite croix. Le soir, Mme F. a dit : « Oh, c'est même pas la peine de chercher bien loin qui a volé la petite croix. C'est la Youpine. » Ça m'est resté... « Hein que tu l'as volée ! » J'ai dit oui. Alors j'ai reçu une gifle, une petite gifle, et puis j'ai rendu la croix. Tout le monde avait des jouets et moi, je n'avais rien. Nous sommes faits de notre enfance, de nos souffrances, de nos joies…

Sonia

Dès l'été 1940, nous vîmes apparaître sur les murs des affiches de grand format représentant par des caricatures ignobles la « race juive ». Cela s'étendit à la radio par des commentaires violents à notre égard, ainsi que dans les cinémas pendant les séquences d'actualités. Les journaux, qu'ils soient quotidiens, hebdomadaires, mensuels, étaient tous très virulents à notre égard et engendraient la haine à l'encontre des Juifs, et le désir de les voir disparaître.

Lazare

Nous, maréchal de France, chef de l'État français, le Conseil des ministres entendu, décrétons :
Art. 1er – Est regardé comme juif, pour l'application de la présente loi, toute personne issue de trois grands-parents de race juive ou de deux grands-parents de la même race, si son conjoint lui-même est juif.

Philippe PÉTAIN, 3 octobre 1940

« Monsieur le maréchal, je vous serais obligé de me dire si je dois aller retirer leurs galons à mon frère sous-lieutenant au 36e régiment d'infanterie, tué à Douaumont en avril 1916, à mon gendre, sous-lieutenant au 14e régiment de dragons portés, tué en Belgique en mai 1940, à mon neveu, Jean-Pierre Masse, tué à Rethel en mai 1940.
Puis-je laisser à mon frère la médaille militaire gagnée à Neuville-Saint-Vaast, avec laquelle je l'ai enseveli ?
Suis-je enfin assuré qu'on ne retirera pas la médaille de Sainte-Hélène à mon arrière-grand-père ?
Je tiens à me conformer aux lois de mon pays, même lorsqu'elles sont dictées par l'envahisseur. »

Pierre

Pierre Masse, arrêté à Paris en 1941,
a été déporté en Allemagne, où il est mort.

1940. On est en France. On arrive avec un convoi pour le camp de « concentration ». Le convoi s'arrête toujours en dehors de la gare, loin de la gare, et toujours à l'aube pour ne pas qu'on sache où on est. On nous dit : « Laissez toutes vos affaires, on vous les amènera, venez. » Alors on marche sans savoir où on va. Et tout d'un coup, de loin, on voit scintiller des petites lumières et, au fur et à mesure qu'on arrive, on voit des ombres qui courent avec des couvertures et, tout d'un coup, on voit des baraques. C'est un camp, entouré de fils barbelés, doubles barbelés, et il y a une entrée, ça n'est pas une porte. Ce sont des chevrons avec du fil barbelé qui sont gardés... par la garde républicaine. Là, on nous arrête ; on est cent à deux cents personnes, des femmes, des enfants, les parents, le père et la mère. Et d'un coup, il y a un officier qui vient et dit : « Écoutez, on ne va pas vous faire de mal, mais on va seulement séparer les hommes d'un côté et les femmes et les enfants d'un autre côté. » Là, vraiment, c'est affreux. Les femmes commencent à crier, des cris de désespoir. Les hommes s'accrochent, les femmes s'accrochent et ils ne veulent pas se lâcher. Les gardiens commencent à taper avec les gourdins sur les têtes, à tirer les gens par les pieds, par les épaules, par les cheveux. C'est une chose qui marque le déporté, l'interné : la séparation, le déchirement, les coups, les bruits...

Lena

Mon père était très ami avec un commissaire de police. Ils jouaient à la belote le soir après le travail. En février 1941, ce commissaire rentre au magasin, et dit à mon père : « Simon, on te demande à la mairie. On a besoin de quelques renseignements. » Mon père, confiant naturellement – comment peut-on ne pas être confiant avec un ami avec qui on joue à la belote, avec qui on mange, avec qui on boit l'apéro ? –, va à la mairie, et même pas un quart d'heure après, le commissaire de police revient voir ma mère et lui dit : « Voilà, il faut préparer une valise pour Simon, il vient d'être arrêté. » C'était en février 1941.

Betty

« Pour la vie, pour la durée de notre pays, sans retard, nettoyons la gangrène juive. Débarrassons-nous de cette vermine comme l'on fait des hideuses punaises et des rats. »

J. Dursort, *Le Pays libre*, 12 avril 1941

Paris débarrassé de nombreux Juifs étrangers : ils sont envoyés dans des camps de concentration

Se conformant à la loi du 4 octobre 1940 du gouvernement français, aux termes de laquelle les Juifs de provenance étrangère peuvent être mis dans un camp de concentration, la police française a procédé, hier matin, à une vaste rafle d'environ cinq mille étrangers juifs, de dix-huit à quarante ans, ex-Polonais surtout, ex-Tchécoslovaques et ex-Autrichiens. Aux heures cruelles d'août-septembre 1939, ces apatrides applaudissaient à la mobilisation de plusieurs millions de Français, conviés à la guerre folle pour le plus grand profit d'Israël. Par un juste retour des choses, l'épuration commençait hier par eux…
Dès sept heures du matin, ces Juifs avaient été convoqués par les commissariats de police, dans différents endroits : 52, rue Pailleron ; 33, rue de la Grange-aux-Belles ; caserne des gendarmes des Minimes et caserne Napoléon, notamment. Trois camps ont été préparés pour les recevoir dans la zone occupée. Le plus important est celui de Gurs (Basses-Pyrénées), capable de contenir vingt mille personnes. Deux autres, non loin d'Orléans.
Ces gens seront occupés à des travaux de réfection des routes, d'édifices et de lieux publics endommagés par la guerre.

Le Matin, 18 mai 1941

On nous a mis sur des camions pour aller au camp de Gurs. Et nous, on avait mis nos plus jolies affaires ; nos chaussures, avec la pluie, c'était terrible. Gurs était surtout prévu pour des Espagnols. Il y avait beaucoup de républicains espagnols qui étaient là, qui avaient fui Franco et qui étaient déjà installés. Il y avait des baraques en bois, sans fenêtres, avec de la paille par terre. C'était des baraques prévues pour quarante personnes et on y a mis soixante personnes.
Il n'y avait pas grand-chose à manger. Le matin, il y avait un tout petit peu de café : c'était une espèce d'eau teintée, avec un tout petit peu de sucre, du sucre marron, en poudre. Et puis huit cents grammes de pain, on avait un huitième pour la journée. À midi, on nous donnait des boîtes de conserve, à moitié abîmées avec une cuillère, il y avait une soupe avec des pois chiches, des navets qui se couraient après, et je crois qu'une fois par semaine on avait un tout petit peu de viande. On était dans la boue jusqu'aux genoux. Les personnes âgées qui allaient le soir aux latrines, parfois le matin on les trouvait mortes,

étouffées dans la boue ; elles étaient tombées et n'avaient pas pu se relever.

Renée

À Rivesaltes, il y avait des îlots. Un îlot, c'est à peu près une centaine de baraques. Ils nous ont envoyés avec les autres Juifs dans l'îlot B. C'était un îlot vieillot, comme pour nous punir plus encore que les autres. Les gardiens appelaient ça « Youpinville ». Il y avait beaucoup de maladies. Ma sœur a été malade deux fois de la typhoïde, parce que par les chaleurs, on n'avait pas de boisson, l'eau ne coulait pas toute la journée, mais seulement pendant une ou deux heures par jour. C'était insupportable, dans ces baraques en bois avec des toits en tôle ondulée. Et on y est restés jusqu'au mois de mai.

Lena

Mon père a été envoyé à Beaune-la-Rolande : le circuit classique. Sur la fiche d'internement de Beaune-la-Rolande, il y a écrit, avec un tampon, c'est dire qu'on a pris la peine de fabriquer un tampon : « Cause d'internement : en surnombre dans l'économie nationale. »

Estelle

Tous les patrons et petits artisans d'entreprises juives doivent placarder sur leurs vitrines des affiches jaunes portant l'inscription « *Jüdisches Geschäft* », signalant ainsi à tous que le local appartient à des Juifs. Puis, sans autre forme d'intervention, des administrateurs aryens se portent volontaires et prennent leur place. Ils vérifient les comptes, encaissent l'argent, rétribuent chichement les propriétaires qui ne sont plus qu'employés dans leurs propres maisons. Ainsi perdent-ils non seulement leurs biens, parfois modestes, mais aussi leur dignité. À partir du jour où l'inscription a recouvert notre vitrine, les clients, certains surpris, d'autres pleutres, se font plus rares. Un homme particulièrement arrogant s'est octroyé le commerce de mes parents. Pour mieux se démarquer, quelques commerçants affichent ostensiblement une pancarte tricolore avec ces mots : « maison essentiellement française ». Il y a aussi le recensement au commissariat, sous peine de représailles. La mention « Juif » ou « Juive » est apposée sur les cartes d'identité. La plupart des Juifs se soumettent. De toute évidence, ils refusent de croire qu'ils franchissent le premier pas vers leur perte. Pourquoi tous ces Juifs se laissent-ils faire comme des moutons allant à l'abattoir ? entendrons-nous dire par la suite. On peut difficilement expliquer cette machine de guerre qui s'installe. En outre, la plupart de ces familles n'ont pas assez d'argent pour partir, d'autres refusent d'abandonner le peu de biens qu'elles possèdent après tant d'années de travail acharné.

Claudine BURINOVICI-HERBOMEL, *Une enfance traquée, op. cit.*

On est allés faire tamponner la carte avec la mention « Juif », et je me souviens très bien de l'employé disant à ma mère : « Est-ce que vous y tenez vraiment ? » Et ma mère disant : « Je ne sais pas : j'ai vu que c'était obligatoire, dans le journal, qu'il y avait une loi. » Et l'homme insistant : « Mais vous le souhaitez ? » Et ma mère disant : « Mais écoutez, je ne sais pas. Je crois que c'est obligatoire. » Et le bonhomme, exaspéré, mettant un tampon sur la carte de ma mère, sur celle de mon père et disant à son voisin : « Écoutez, ils sont indécrottables. Tant pis pour eux, ce qui leur arrive, c'est bien fait pour les Juifs. »

Jean

Je vais à Lons-le-Saunier pour y déclarer qu'aux termes de la loi du 2 juin 1941 je suis juif. Je me sens humilié, c'est la première fois que la société m'humilie. Je me sens humilié non pas d'être juif, mais d'être présumé, étant juif, d'une qualité inférieure. C'est absurde, c'est peut-être un défaut d'orgueil, mais c'est ainsi.

Léon WERTH, *Journal*

Deux mois après la rentrée scolaire, les professeurs d'histoire de chaque collège reçoivent l'ordre impératif d'accompagner leurs élèves au palais Berlitz voir l'exposition « Le Juif et la France ». J'y apprends, avec les autres, la « morphologie juive » : nez crochu, yeux saillants, lippe pendante, oreilles décollées, etc. ; je prends conscience du péril que « ces gens-là » feraient peser sur le monde et sur la France particulièrement. Pour nous, petites filles juives qui sommes au premier rang, c'est stupéfiant. Les journaux – *Je suis partout*, *Gringoire* et quelques autres – déversant leur haine antisémite, écrivent : « Cent mille personnes ont visité cette exposition en trois jours.

Une araignée géante représente la juiverie faisant un festin avec le sang de la France. Cette race s'infiltre à la façon du serpent et envenime tout ce qu'elle touche. »

Claudine BURINOVICI-HERBOMEL, *Une enfance traquée, op. cit.*

Un Juif, c'est facile à reconnaître d'après Radio-Paris, les journaux collabos et les affiches : à cause du nez crochu, des grandes oreilles décollées.
Nous, avec Jeannot, on a beau se regarder, il n'y a rien de tout cela, ni pour le nez ni pour les oreilles. C'est pas le cas de Carasco ou de Lopez, avec leur teint basané et leurs cheveux crépus tellement visibles qu'on dirait des Arabes.

Marcel

Quand j'ai commencé à lire, à cinq, six ans, on voyait sur les murs : « Mort aux Juifs ». Les premières lectures que j'ai eues, c'était les lectures murales. Je ne pouvais pas les éviter parce que c'était écrit en très grands caractères, en ville. Donc « Morts aux Juifs », « Les Juifs sont des chiens », « Interdit aux Juifs » pour le cinéma, « Interdit aux Juifs », pour le café. Petit à petit, tout était interdit. L'espace vital était réduit, réduit, réduit. Pas dans les jardins publics, pas à la plage. On n'avait plus le droit d'aller à la plage parce que les Juifs, on était des saletés, on polluait les plages, on polluait la mer. C'était un horizon très étroit. Et pour l'enfant que j'étais, j'ai quand même souffert de ça. Parce que moi qui étais une enfant exubérante, qui aimais sortir, qui aimais voir des choses, je ne voyais que de très mauvaises choses. Je n'entendais que les soucis de mes parents…

Franca

Avec Maman ou encore avec mémé Berthe, nous allons traîner à Drancy du côté du camp, pour essayer d'avoir des nouvelles de Papa. C'est un grand ensemble d'immeubles inachevés en forme de rectangle entouré de grillage et de barbelés. Il y a des gendarmes français qui montent la garde et qui nous empêchent d'approcher. À chaque coin, des miradors avec encore des gendarmes français pointant leurs mitrailleuses sur le camp. Pas un seul Allemand à l'horizon.

Marcel

Hier soir, Bret a mis un mot dans la boîte aux lettres pour que je passe le voir ce matin. J'y suis allé. Un policier d'un commissariat lui a donné une liste de quelques Juifs qui seront arrêtés demain matin par la police française, pas par les Boches. C'est la police française qui va faire ce sale travail. Le policier de Bret est un résistant. Il y a de tout, même chez les flics ! Il lui a dit qu'ils ne seront pas envoyés dans des camps de travail, mais que ce serait bien pire. Ceux qui sont déjà partis meurent en Allemagne. Bret a vu un avis de décès : diarrhée et faiblesse cardiaque.

Yves

I. – Il est interdit aux Juifs, dès l'âge de six ans révolus, de paraître en public sans porter l'étoile juive.
II. – L'étoile juive est une étoile à six pointes ayant les dimensions de la paume d'une main et les contours noirs. Elle est en tissu jaune et porte, en caractères noirs, l'inscription « Juif ». Elle devra être portée bien visiblement sur le côté gauche de la poitrine, solidement cousue sur le vêtement.

Huitième ordonnance concernant les mesures contre les Juifs, 29 mai 1942

J'ai eu conscience d'être juif le jour où j'ai porté l'étoile et qu'on m'a interdit toutes les choses.

Simon

Il a fallu donner, je crois, un point par étoile, je ne sais pas ce que ça représentait comme valeur par rapport à tous les points que nous avions, mais c'était un point par étoile et chaque personne avait droit, je crois, à deux ou trois... C'était limité, ça n'était pas à volonté. Ne porte pas l'étoile qui veut ! Et il fallait les coudre solidement. Alors ça n'était pas précisé s'il fallait les découper en étoile. Aussi certains les rebordaient, les découpaient en étoile, d'autres les gardaient en carré, et d'autres mettaient des boutons-pression. Ça c'était interdit normalement.

Adolphe

Au début de juin 1942, l'ordre a été donné aux Juifs de porter des étoiles jaunes à six branches, cousues sur leurs vêtements à l'endroit du cœur. J'étais inquiète, je craignais les réactions de mes copines de classe. Cependant, il a bien fallu aller à l'école. Dans la classe, tous les regards se sont tournés vers moi. Au fond, essayant de dissimuler son étoile, j'aperçus Nathalie, une fillette habitant un quartier plus chic que le nôtre. On fréquentait peu Nathalie. Elle avait l'air distant avec ses habits élégants, ses boucles blondes, son aspect soigné. Ainsi, Nathalie était juive, elle aussi. C'était une découverte. La maîtresse a dit : « Deux de vos camarades portent une étoile. Soyez gentilles. Rien ne doit être changé entre elles et vous. » Mais immédiatement, il y eut une barrière, une mise à l'écart. Robert déserta notre maison, Janine, ma meilleure amie, avec qui j'allais au patronage, ne vint plus chez moi et je ne retournai plus chez elle. Un jour, j'entendis deux femmes discuter sur le trottoir : « Vous vous rendez compte, disait l'une d'elles, un homme qui avait l'air si bien, si correct. Il a fait un mouvement et sous sa veste, devinez ? J'ai aperçu l'étoile. Un Juif ! Qui l'aurait cru, il avait l'air si correct ! » Et l'autre femme hochait la tête, marquant son approbation. En écoutant les deux femmes, j'ai eu conscience de ce qu'être juif comportait de sale, de dégradant, de honteux. Cette honte, je la ressentais dans la rue, quand les gens détournaient leur regard devant l'étoile qui nous marquait d'une tache ignoble et puante. Étoile jaune humiliante. C'était donc ça être juif ? Et moi je l'étais et j'en avais honte. J'aurais tant voulu être comme les autres, les gens bien, propres et corrects !

Annette Muller, *La Petite Fille du Vél'd'Hiv,*
Vichy-Auschwitz, 1983

Dans un premier temps, le commissariat n'a accordé qu'une étoile à notre famille : la mienne... À ce moment-là, le port de l'étoile n'était pas obligatoire pour « les Israélites d'origine hongroise » et pour les enfants de moins de six ans... Mais comme je ne voulais pas être la seule à porter cette marque distinctive, mon père est allé au commissariat pour demander qu'on lui donne « des suppléments d'étoiles ». Le commissariat les lui a refusés et lui a conseillé de les acheter au marché noir... Donc toute la famille a acheté des « broches » de contrebande comme le disait ma petite sœur, et nous les avons tous portées.

Jeannette

À cause de l'étoile jaune, ma tante, esthéticienne cours de l'Intendance, a perdu son emploi. Elle est revenue au salon pour se faire coiffer. La personne qui lui faisait son shampooing s'est exclamée : « Et puis merde, je refuse de laver la tête d'une Juive ! » Ma tante est sortie avec un foulard sur la tête pleine de savon.

René

Nouvelles lois, nouvelles calomnies. Les hommes peuvent-ils être à ce point bêtes et méchants. Je ne suis pas en mesure de comprendre le pourquoi de cette haine envers les Juifs, envers nous, envers moi !
Les spectacles nous sont interdits, le dernier wagon de métro nous est strictement réservé, les restaurants affichent : « Interdit aux chiens et aux Juifs »... Et ce maudit tampon « Juif » sur les cartes d'identité est-il digne d'une société civilisée ?

Sylvie

Les étoiles juives soulèvent une indignation unanime. Cette mesure est condamnée même par des antisémites, en particulier le fait que les enfants soient obligés de porter l'insigne.
Les membres du corps enseignant des écoles parisiennes diraient aux enfants, à ce que l'on prétend, qu'ils doivent être maintenant particulièrement gentils envers les enfants juifs qui doivent porter ces étoiles. Par ailleurs, de très nombreux Juifs se soustraient au port de l'étoile. Ils se sont en partie installés chez des amis, ou bien ils omettent tout simplement de la porter. Les Juifs allemands, émigrés, en particulier, ne portent pas l'étoile. La police du 16e arrondissement ne leur en a pas distribué.

Rapport de la police allemande, 1942

Le premier dimanche qui suivit l'obligation du port de l'étoile jaune, sur le boulevard de Belleville, côté 20e arrondissement où les gens de ce quartier avaient l'habitude de se rencontrer afin de parler du pays qu'ils avaient quitté, quelle ne fut pas ma surprise de voir autant d'étoiles sur la poitrine de ces gens. Même sur la poitrine d'anciens soldats de la guerre 1914-1918 dont certains étaient mutilés, soit unijambistes soutenus par des béquilles, soit manchots, soit mutilés de la face qu'on appelait les « gueules cassées ». Ils arboraient sur leur poitrine, en même temps que l'étoile jaune, leurs décorations et médailles de guerre. Des gens humbles, trahis par le pays qui leur avait donné asile et pour lequel ils avaient combattu dans les tranchées de la Somme ou de l'Argonne et qui en portaient les séquelles

Lazare

Le soir en rentrant avec Cécile, deux hommes nous croisèrent. En se retournant vers nous, l'un d'eux dit à l'autre : « C'est drôle, il y a quand même des petites Juives qui sont mignonnes. » À partir de ce moment-là, je compris que nous n'étions plus des gens comme les autres.

Henny

Depuis quelques mois, nous portions tous les quatre l'étoile jaune ; je me souviens de notre première sortie avec : c'était un dimanche.
De la rue des Rosiers jusqu'à la rue de Rivoli, nous reçûmes un cours de notre père : comment l'arborer fièrement, sans honte. Cousue sur mon petit manteau de tweed gris, ayant sur la tête un petit chapeau-miss à plume, à la main un petit sac en écaille blanc et des petits gants blancs, des jolis souliers vernis, et des petites socquettes, cette étoile jaune moutarde et noir lugubre, saugrenue, faisait désormais partie de nos accessoires vestimentaires : mais de voir les mêmes accrochées sur les autres membres de ma famille me fit un choc visuel saisissant, inoubliable.

Denise

En 1942, j'ai porté l'étoile, puisque j'avais l'âge : j'avais plus de sept ans. Un jour, en revenant de l'école, j'étais en larmes parce qu'on m'avait un petit peu bousculée dans la cour. Maman m'a dit : « J'irai avec toi demain voir la directrice. » Et le lendemain matin, Maman m'a habillée comme pour un dimanche, et elle s'est habillée elle aussi d'une façon très élégante. Elle avait coincé sa pochette bien sous le bras pour cacher un petit peu l'étoile et nous sommes parties voir la directrice qui nous a reçues dans son bureau d'une manière assez froide. Maman lui a expliqué ce qui m'était arrivé, mais elle le savait déjà. Et Maman s'attendait à… quelques paroles de réconfort ou de soutien, enfin à une tout autre réponse que celle qu'on a obtenue, puisque la directrice nous a dit textuellement : « Je ne peux pas être derrière chaque enfant dans la cour de l'école, il me semble que le mieux serait que Cécile ne vienne plus à l'école. » C'est donc ce que j'ai fait, je ne suis plus allée à l'école.

Cécile

Un jour, boulevard de Belleville, ma mère était avec moi à une terrasse de café, Maman portait l'étoile, et je voyais tous les gens qui étaient assis à la terrasse de café, dont certains enfants qui portaient l'étoile. Et je me suis mise à pleurer: «Je veux l'étoile, je veux l'étoile! Pourquoi je n'ai pas une étoile!» Et il y avait un curé à côté, la table à côté, et ce prêtre portait l'étoile et il a enlevé son étoile et m'a dit: «Tiens, là, pendant le temps que tu t'amuses à côté de moi, porte l'étoile.» Et j'ai porté l'étoile donc peut-être une demi-heure, une heure. Et il a repris son étoile.

Liliane-Georgette

La directrice d'école, Mlle Leconte, savait que nous étions juives. Elle nous a présentées aux enfants de l'école et elle a dit: «Vous voyez, les enfants, les caricatures que nous voyons sur les murs, avec tous ces Juifs et leur gros nez, leur gros ventre, ces caricatures sont des mensonges. Regardez ces enfants, ils vous ressemblent, ils sont pareils que vous. Donc, si nous voyons des gendarmes entrer dans la cour, vous les aidez à se sauver.» Et un jour, il y a eu des képis dans la cour et tous les enfants nous ont prêté main-forte et nous ont aidées à nous sauver.

Rosa-Clara

En 1942, nous étions à Paris. On commençait à porter l'étoile jaune. J'ai un souvenir extraordinaire: je sortais dans la rue, c'était le premier jour. Et il y a un monsieur que je croyais vieux, un monsieur très digne, très distingué, avec la Légion d'honneur, qui s'est approché de moi. Il a enlevé son chapeau et il m'a dit: «Monsieur, je vous demande pardon pour la France.» En 1942. C'était quelque chose d'extraordinaire.
Bon, je vais à l'école. Et le premier jour, tous les élèves de la classe ont découpé une étoile jaune et tout le monde est sorti avec une étoile jaune. J'ai des souvenirs extraordinaires comme ça.

Simon

Je suis arrivée au lycée avec cette étoile jaune. Je n'étais pas la seule. Et il y a eu là quelque chose à quoi je tiens à rendre hommage encore aujourd'hui: la directrice de ce lycée a réuni toutes les élèves dans la cour, en disant: «À partir de ce matin, certaines d'entre vous portent un signe distinctif. Je préviens que la première remarque que j'entends à ce propos, ce sera la porte ! » Ce qui était un acte très courageux, parce que en réalité, elle prenait des risques. Elle ne savait pas qui était l'ensemble des parents d'élèves.

Irène

J'étais lecteur assidu à la mairie du 3e. Et j'aimais lire. Et le jour des décrets, il a fallu que je rende mes livres. Je les ai rendus, et cette Mlle Boucher m'a dit : « Je vous connais bien, vous aimez lire, je vois le choix de vos livres. Voudriez-vous continuer ? » J'ai répondu : « Oui, bien sûr, mais ce n'est plus possible. » Elle m'a dit : « Attendez-moi ce soir, à cinq heures et demie, en bas de la mairie. » Évidemment, j'ai attendu. Elle m'a fait monter sur sa bicyclette, derrière, et avec mon étoile elle n'a pas eu peur, moi non plus, et nous avons remonté la rue de Bretagne ; elle m'a amené chez elle. C'était au musée Carnavalet : elle était la fille du conservateur. Et il y avait des bibliothèques, des bibliothèques magnifiques, qui leur appartenaient en propre. Elles étaient plusieurs filles. Et j'ai puisé dans ces livres assez longtemps, jusqu'au jour où j'ai dû quitter Paris.

Georges

Toute personne de race juive est tenue de se présenter, dans un délai d'un mois, au commissariat de police de sa résidence ou, à défaut, à la brigade de gendarmerie pour faire apposer la mention « Juif » sur la carte d'identité dont elle est titulaire ou sur le titre en tenant lieu et sur la carte individuelle d'alimentation.

Philippe PÉTAIN, 11 décembre 1942 (zone sud)

Chaque jour les mesures discriminantes s'alourdissent : interdiction d'exercer une profession en rapport avec le public (avocats, médecins, enseignants). Nous assistons, dans notre ancienne école, quelques mois plus tôt, au départ de notre chère directrice, sommée de quitter l'école où elle habitait. Elle attendait un bébé et pleurait. Nous n'avons plus le droit d'aller au cinéma, dans les parcs (mon cher Sacré-Cœur), dans les musées, tous les lieux publics nous sont interdits, même les bains-douches municipaux. Au Casino de Paris est apposée l'affiche : INTERDIT AUX CHIENS ET AUX JUIFS. Seules quelques heures sont autorisées pour aller faire nos provisions, quand beaucoup de magasins sont fermés ou qu'il n'y a plus rien. Les postes de TSF nous sont confisqués, nous ne pouvons plus sortir après huit heures du soir. Mais le plus éprouvant est l'obligation de prendre le dernier wagon du métro afin d'être séparés des autres voyageurs. Je n'ose même plus lever la tête. Quand je monte dans ce wagon, je colle mon visage à la vitre et m'efforce de ne regarder que la réclame qui défile sous mes yeux dans le tunnel: «Dubo... Dubon... Dubonnet» et j'ai hâte de sortir.

Claudine BURINOVICI-HERBOMEL, *Une enfance traquée, op. cit.*

Avez-vous jamais porté une étoile jaune sur la poitrine? Une grande étoile, aussi large que la main, s'étalant bien en vue à la hauteur du cœur. Prenez donc un morceau de tissu – jaune de préférence – ou de papier de même couleur et découpez une étoile à six branches, bien bordée de noir surtout, pouvant s'inscrire dans un cercle de dix centimètres de diamètre. Vous y êtes? Alors, découpez et épinglez cet insigne particulièrement voyant sur votre veste. Préparez-en quelques autres pour votre manteau ou votre blouse, voire le gilet que vous portez en demi-saison. Contemplez-vous dans une glace pour juger de l'effet. Vous êtes prêt? Bien. Imaginez maintenant que vous allez devoir sortir dans la rue, ainsi désigné, et qu'il ne peut en être autrement faute de devoir plonger dans une clandestinité hasardeuse dans un pays qui est loin d'être solidaire et dont les habitants, s'ils ne sont pas collaborateurs, sont pour le moins attentistes. Qu'allez-vous faire?

Maurice RAJSFUS, *Opération Étoile jaune*,

Nous portions l'étoile, et il y avait une place à Châtellerault que nous n'avions pas le droit de traverser; elle était interdite aux Juifs. J'étais un jour avec mon ami devant une pâtisserie à laquelle nous étions adossés. Une dame avec un petit garçon passe, rentre et sort de la pâtisserie, nous fait signe de la suivre, mon ami et moi; elle nous emmène dans une petite rue derrière et nous donne à chacun un gâteau. Elle nous dit: «Mangez vite et jetez les papiers.» Et moi qui ai toujours été un garçon bien élevé, je commence à manger le gâteau et m'aperçois que, dans ma stupéfaction, je ne lui ai même pas dit merci. Je cours après elle, je rattrape la dame et son petit garçon et lui dis: «Merci, madame», et je reviens vers mon ami pour finir le gâteau.

Robert

J'aime sortir, flâner dans cette ville que j'aime tant, mais l'étoile cousue sur le revers de ma veste comme tatouée sur ma peau m'effraie et m'éloigne malgré moi de tous les nombreux lieux publics où je suis devenue la pestiférée qu'il faut montrer du doigt ou salir d'une injure. Les rafles et les arrestations, ici et là, partout me contraignent à une extrême prudence.
Je n'ai que seize ans ; peut-on tout m'interdire ! Je veux vivre comme tout un chacun, je veux emmener Esther au cinéma, frémir d'émotion au *Premier Rendez-vous* de Danielle Darrieux, je veux rêver avec Viviane Romance, Simone Simon, Yvette Lebon ou Louis Jourdan, je veux chanter à tue-tête la *Romance* de Charles Trenet ou le *Tra-la-la* de Suzy Delaire…

Sylvie

Pour passer cette ligne de démarcation, il y avait des moyens qui coûtaient cinq mille francs de l'époque, dix mille, quinze mille, vingt, vingt-cinq mille francs, et peut-être plus. Et plus vous payiez cher, plus le moyen était bon. Combien se sont fait prendre en payant dix mille francs ? Et on les a plantés au milieu du chemin. Donc mon père voulait un moyen sûr et chez les fourreurs, comme ils avaient quand même les moyens, ils avaient trouvé un système, qui était un système très bon, qui coûtait vingt-cinq mille francs par personne. C'était le système le plus cher. Et, à cette époque-là, il y avait donc un camion qui venait nous chercher place d'Italie, enfin qui passait, et nous, on rentrait dans ce camion au passage. Il ne pouvait emmener que quatre personnes.

Adolphe

On a passé la Loire, je m'en souviens toujours, dans une barque, avec un passeur qu'on avait payé. On voyait une petite maison éclairée avec des gens, avec un garde qui portait un fusil. Mon plus jeune frère, qui était né en 1940, pleurait tout ce qu'il pouvait. On était une dizaine sur la barque. Et les gens qui disaient à ma mère : « Jetez-le à l'eau, de toute façon, on va tous être pris. » On voit là la lâcheté des gens qui étaient prêts à jeter un enfant pour se sauver !

Albert

Après deux mois d'attente, nous avons trouvé un passeur pour nous réfugier en zone libre. Il a pris cinq mille francs par personne, sans compter le bébé. Dans le train, nous avons enlevé nos étoiles. Le passeur se tenait à distance. Nous sommes descendus à la gare de Vierzon. Toute la famille en a profité pour aller aux toilettes et pour changer mon frère qui ne l'avait pas été depuis douze heures. C'est à ce moment-là que les Allemands ont pris tout le monde. Quand la rafle a été finie, nous sommes ressortis. Mon père était très nerveux. Il a rejoint le passeur et lui a demandé d'honorer sa promesse. Nous avons marché dans la campagne... À un moment donné, dans un village, le passeur nous a montré un drapeau français et nous a dit que nous étions en zone libre... Il nous a demandé le reste de l'argent... Il est parti; il s'est sauvé... Nous sommes restés cachés, puis mon père a interrogé une vieille dame qui travaillait dans un champ pour lui demander si nous étions vraiment en zone libre... C'était le 2 octobre 1942... Elle lui a répondu: «Mon pauvre monsieur! Vous êtes juste derrière la Kommandantur»... Beaucoup de passeurs faisaient cela... Le nôtre n'était ni le premier ni le dernier...

Jeannette

On a marché. C'était un champ de choux. C'était en novembre et il gelait. Ma petite sœur a perdu une chaussure. Ma petite sœur s'est retrouvée dans ce champ avec sa poupée à la main qu'elle a aussi perdue dans le champ. Alors elle me tire encore la main: «Suzanne, j'ai perdu ma poupée. – Chut, je t'en rachèterai une.» Je n'avais pas d'argent, mais elle ne savait pas que je ne pouvais pas lui en racheter une. Alors on a marché, marché. Et tout d'un coup, on est arrivés près d'un buisson et on a vu un monsieur en sortir. Il était habillé en vert-de-gris comme les soldats allemands. Ma petite sœur me tire le bras et me dit: «Suzanne, regarde, c'est un Boche.» Alors il prend ma petite sœur dans ses bras, l'embrasse et lui dit: «N'aie pas peur, ma petite fille, je suis un soldat suisse et tu es sauvée.»

Sarah

Chapitre 3

Naufrage

C'est une vague monstrueuse et violente qui est venue détruire le château de sable de votre enfance, chavirer votre pauvre petit monde, éteindre la lampe qui modelait sur les visages aimés la chaleureuse ambiance des repas du soir, renverser les tiroirs, violer vos souvenirs, souiller vos livres et vos cahiers, fracturer les portes des placards, briser les miroirs, les verres et la vaisselle, dévaster l'ordre établi dans le cœur de l'armoire à linge, éventrer les piles de vêtements, de draps et de torchons qui répandaient leurs effluves de lavande, de naphtaline ou d'eau de Cologne. Une vague chapeautée ou coiffée d'un képi, parfois bottée, une vague en civil ou en uniforme, une vague noire, beige ou verte, une vague d'hommes, plus ou moins bien rasés, plus ou moins fiers, plus ou moins arrogants, plus ou moins bien peignés, plus ou moins propres, plus ou moins penauds, guidée, pilotée, soulignée par la voix stridente de la concierge. une vague française, une vague de pas, de cris et de coups frappés dans les portes ; une vague qui grondait, qui montait, qui semblait engloutir, submerger l'éventail des marches des escaliers ; une vague venue siphonner le réservoir de votre insouciance, de votre innocence, de votre quiétude.

Votre esprit d'enfant croyait encore parfois que la mort était un jeu, un phénomène réversible ; vous pensiez qu'il était possible de jouer à vivre, à mourir, et à revivre, indéfiniment... Vous pensiez qu'il suffisait de blottir sa tête sous l'édredon pour échapper aux cauchemars de la petite enfance, à cette aspiration du gouffre qui nous donne le sentiment de tomber dans un vide infini, entre le stade de l'assoupissement et celui du sommeil profond...

Vous ne saviez pas qu'il vous faudrait quitter brusquement la douceur du giron maternel, vous amputer de vos racines encore trop jeunes et laisser là vos points de repère, vos souvenirs, votre cocon familial. Vivre la séparation d'avec vos parents comme un abandon monstrueux. Sortir prématurément de votre chrysalide sans avoir eu le temps de tisser vos ailes, pour confier votre sort à des silhouettes étrangères, pour affronter sur le banc trempé d'une chaloupe sans voile, sans rames et sans gouvernail l'inquiétante nuit qui tombait sur l'océan démonté des villes et des campagnes…

Vous ne saviez pas qu'il vous faudrait apprendre à ne plus exister pour survivre, à gommer dans la solitude et dans la clandestinité votre être, votre identité, votre personnalité, à un âge où il est normalement tellement nécessaire de faire le contraire, à cet âge où l'on devrait apprendre à se construire, à s'affirmer, à s'épanouir au sortir de l'enfance, à travers les sentiers périlleux de l'adolescence…

D'une certaine façon, vous réussissez à vivre la tête sous l'eau… Vous survivez en apnée. Vous avez parfois le sentiment d'entendre murmurer votre prénom : mais les sons vous parviennent tellement sourds et déformés que ce prénom n'est en définitive pas le vôtre. Il est celui d'un enfant seul et triste qui, même lorsqu'il paraît sourire, pleure en écoutant le chant des sirènes qui toutes ont la voix de sa mère… Il est celui d'un enfant qui ne sait plus à quel Dieu se vouer, et qui, à force de prononcer des prières qui ne sont pas celles de ses parents, finit par ne plus savoir où commencent et où finissent les chants mêlés de l'espoir et du désespoir…

Au-delà des coups de poing martelés sur les portes, au-delà du roulement des pas dans les escaliers, du grondement des moteurs des autobus et des camions qui s'ébranlent, au-delà du mugissement lugubre des trains de nuit, vous vous êtes paré des vêtements du silence. Vos rires et vos cris d'enfant se sont tus ; ils semblent avoir été aspirés dans le seul souffle de votre respiration, dans le glissement furtif de vos pas qui veillent à ne plus jamais faire craquer les planchers disjoints des appartements obscurs.

À l'aube de ma vie, il y avait ma mère et mon père, les heures suprêmes sans peur, puis s'en sont venues toutes les autres heures de mon existence…

Sylvie

Maman va souvent à la mairie, au bureau de bienfaisance ou d'aide sociale, chercher des bons de charbon ou de gaz. Elle ne peut plus payer les factures, c'est trop cher pour nous, le salaire de Papa ne suffit plus, une partie importante passe pour le loyer et notre ravitaillement.

Le prix des aliments de base grimpe à une allure vertigineuse et il n'y en a pas tous les jours.
Papa tente bien de nous rapporter des choses qu'il arrive à échanger contre du cuir, cela devient de plus en plus rare !

Marcel

Il faut se situer dans cette ambiance pour bien comprendre ce que représentait ce geste de ma mère qui nous mettait pratiquement dehors ma sœur et moi. Lorsque l'on arrache un enfant à sa mère, il n'y a rien de plus horrible – décider soi-même de la séparation, couper les amarres avant que la tempête ne soit encore plus violente. C'est cette perception du danger, inexpliquée, que l'on peut identifier comme étant de l'instinct à l'état pur, qui nous sauva la vie à ma sœur et à moi.

Maurice RAJSFUS, *Opération Étoile jaune*, *op. cit.*

À quatre ans, quand ils ont pris la décision de me cacher, ils n'ont pas discuté devant moi. Ma tante m'a accompagnée pour aller chez mes parents adoptifs et m'a dit : « Cet après-midi, tu vas te promener et tu peux emmener toutes tes poupées. » J'ai trouvé ça quand même un peu inquiétant. Et je suis partie, j'ai embrassé ma mère comme si j'allais faire un petit tour ; elle avait les larmes aux yeux…
Plus tard, mes parents adoptifs m'ont raconté que ma mère était malade ; qu'elle était dans un hôpital et qu'elle allait le week-end dans la famille pour se reposer. On pouvait me raconter n'importe quoi, j'avais quatre ans…
Et très rapidement j'ai commencé à me déshabituer de mes parents. Je ne les reconnaissais plus très bien.

Louise

Je restais là, sur le palier, face à la porte d'entrée grande ouverte, dos à l'escalier, bras droit encore levé, main tendue, doigts mollement écartés, immobile, comme pétrifiée, ne pouvant plus bouger.
Nous ne nous touchions plus, et je ne me souviens plus des derniers embrassements. Mon regard éperdu et tragique se noyait dans le sien, il était le sien. La terreur embuait et embrouillait nos esprits. La tension, le chagrin, l'émotion étaient si intenses que seul l'arrachement à cet être si cher me monopolisait.

Énergiquement arrachée à ma torpeur par une nouvelle secousse qui étirait mon bras gauche, Mme S. me signifiait que nous allions rater le train. Bernard en tête, nous formions une tragique farandole qui se déroulait dans l'escalier. Lentement, maladroitement, mes pieds glissaient en abandonnant chaque marche. Tout mon être était tourné vers cette jeune femme brune, au regard douloureux, le frêle corps enserré dans une sorte de kimono, mi-long, satiné, égayé sur fond bleu nuit de gros dahlias aux couleurs vives et variées.
Lentement ma mère disparaissait.
Un voile épais s'abattait sur ma mémoire, tel le rideau tombé sur le dernier acte d'une pièce, d'une si belle et si courte histoire, déchirée, brisée, éclatée, que je ne devais plus jamais revoir.

Françoise

Un jour, mon voisin qui travaillait dans la police nous a dit : « Monsieur Reisman, demain matin, vous n'allez pas travailler, parce que toutes les issues des métros seront bouclées… » Mon père a ri. Il a dit : « Mais pourquoi ? – Parce qu'il va y avoir une chose unique. Il va y avoir une très grande rafle. – Mais ça n'est pas possible. – Écoutez, monsieur Reisman, je descends vous communiquer une chose confidentielle, unique et vous ne me croyez pas ? » Mon père a dit : « Non, je ne vous crois pas. »

Gabrielle

Nos quatre petites valises étaient prêtes, pour ce départ dans les camps de travail « qui ne faisaient pas peur à mon père ». Le travail manuel ne l'effrayait pas. À la maison, n'était-il pas grand bricoleur ? Et puis, ici, en France, « lui qui n'avait jamais eu affaire à la police », on ne nous ferait pas de mal. Il en était sûr ! Dans sa tête, ses comparaisons allaient aux pogroms de Pologne où les hooligans marchaient en groupe sur le trottoir et le bousculaient ou l'insultaient pour déclencher la bagarre. Ici, on était en France, et tous les Juifs pleurards qui s'enfuyaient en zone libre lui faisaient honte. Ceux-là ne comprenaient pas qu'ici en France, ça ne serait jamais pareil. Bêtes qu'ils étaient ! Et alors les camps de travail ! On s'y fait ! C'est pas les pogroms ! Si les Français peuvent y aller pour travailler, les Juifs aussi !

Denise

M. B. était un homme formidable qui travaillait au commissariat. Il était brigadier et venait renseigner des personnes qu'il connaissait qui étaient juives… Il est venu prévenir mon père. Il est souvent venu nous prévenir qu'il allait y avoir une rafle, qu'il fallait faire attention, qu'il fallait nous cacher. Et puis une fois, il est venu et il a dit : « Là, il n'y aura pas de quartier. Ils vont aller partout, ça va être terrible. »

Simone

Ce 16 juillet 1942, il y a eu sept mille assassins en uniforme. Tous français. Tous glorieux. Tous ignobles. Intermédiaires de la Gestapo, drapés dans le respect de la légalité et confortés dans leur haine de l'étranger, ces représentants qualifiés de la répression préparaient, à l'aube naissante d'un matin d'été, ce génocide dont ils portent à mes yeux la plus grande part de responsabilité pour la France. Bien plus que les nazis !

Maurice RAJSFUS, *Opération Étoile jaune*, *op. cit.*

La grande rafle a été horrible. Ce dont je me souviens particulièrement, c'est le grand silence, le grand silence qui s'est abattu sur Belleville. Je n'avais pas l'habitude que ce soit tellement silencieux. Et tout d'un coup, des tambourinements aux portes, parce qu'on habitait un immeuble où il y avait beaucoup d'appartements ; des tambourinements aux portes, des cris, un brouhaha. C'était inquiétant. J'entendais beaucoup de bruit dans l'escalier. Et Maman, me plaquant la main carrément sur la bouche, et regardant par la fenêtre. Il y avait une voisine en face, qui lui faisait signe de ne pas bouger. Elle mettait son doigt sur ses lèvres. Je ne voyais pas très bien la rue. J'éprouvais une impression de grondement. C'était à la fois silencieux et à la fois comme une fourmilière. Et puis il y eut des grands cris. J'ai vu quelqu'un tomber par la fenêtre. Je m'en souviens, des hurlements. Et toujours la main de Maman devant ma bouche pour m'empêcher de faire du bruit. C'était horrible. Après ça a été très bizarre. La nuit, des bruits de voiture… Et puis à un moment donné, la voisine en face nous a fait signe. Maman a pris un parapluie et son sac. Elle a fermé la porte et nous sommes parties sans rien emporter. Rien d'autre que son sac et le parapluie.

Raymonde

À six heures, on cogne à la porte. C'est un inspecteur de police. Il nous ordonne de préparer une valise de vêtements et de le suivre. D'autres policiers entraînent des groupes de Juifs, des familles entières portant des ballots de linge et même des matelas, les hommes et des femmes silencieux et pâles, les enfants, mal réveillés, pleurant. Les commerçants accourent sur le pas de leur porte, et les passants nous regardent, étonnés et effrayés. C'est malheureusement la police française qui arrête les Juifs. On nous fait monter dans les autobus qui portent encore leurs plaques de destinations diverses. Nous roulons à travers les rues de ce quartier de Belleville d'habitude si joyeux et, partout, c'est le même spectacle de Juifs emmenés comme des criminels entre les agents. Je regarde les rues ensoleillées qui me semblent l'asile de la liberté que je ne connais plus. Nous arrivons devant la grande porte du Vel'd'Hiv, rue Nélaton. Dans l'entrée des agents disposent des lits de camp. Deux femmes se jettent l'une sur l'autre en pleurant: « C'est là, sur ces petits lits que nous allons dormir? » J'interroge un agent: « Il n'y aura jamais assez de lits pour tout le monde! » Il rit: « Mais ces lits sont pour nous; vous coucherez par terre, là-bas. » Sur la piste où d'habitude courent les cyclistes, les gens sont assis sur leurs valises, effrayés, désorientés. Certains courent et appellent dans tous les sens, mais dans l'ensemble nous sommes là, silencieux, comme paralysés par l'angoisse, ne comprenant pas bien ce qui nous arrive.

Sarah

Serge KLARSFELD,
Mémorial de la déportation des enfants juifs en France,

C'était un jour d'été, il faisait très beau... Les voilages de la fenêtre s'agitaient un petit peu au vent. J'étais toute seule en train de manger des pâtes. On a frappé violemment à la porte. Il y a eu des cris dans l'immeuble. Un agent de police français est entré dans l'appartement. Ma mère avait une robe noire qui était serrée au cou, avec des manches longues. Et je revois son visage, en face de moi, tenant le dossier de la chaise à la main, moi en train de manger, l'officier français, ma sœur debout à côté de ma mère. Et l'officier de police voulait nous amener aussi. Ma mère n'a pas voulu, elle a dit: « La grande s'occupera de la petite. » Mon enfance s'est arrêtée ce jour-là. Ce jour-là, je suis devenue adulte, j'avais six ans. J'ai en mémoire le visage d'une mère comme toutes les mères sans doute, aimante, affectueuse, particulièrement généreuse.

Colette

Maman demandait de l'aide à ses amis juifs, qui lui disaient : « Écoute, tu as un accent, tu vas nous faire repérer, va-t'en. » Enfin il n'y avait plus d'amis, ça n'était pas la solidarité, c'était la lutte pour la vie, chacun pour soi.

Liliane

On a traversé Paris en autobus, un matin, il faisait très chaud. Les Parisiens ne nous voyaient pas, indifférents. Pas un geste, rien. Paris endormi, en plein été, un dimanche. On ne nous a pas vus. Nous étions gardés par les flics français...

Annette

Par les fentes des volets, nous voyions quelques familles réunies dans la cour avec des bagages, entourées de policiers français et la concierge montrant du doigt les fenêtres des appartements occupés par d'autres familles juives, très fière, très droite, certaine d'accomplir son travail de Française !

Suzanne

Nous sommes parties ma mère et moi, avec quelques vêtements chauds, bien que nous soyons en juillet. Nous sommes allées chez une de ses amies qui habitait à Vincennes et qui a dit : « Ils sont venus chercher ma belle-sœur, je ne veux pas vous garder, partez, partez, parce qu'ils doivent revenir. » Nous sommes allées chez ma grand-mère, qui avait soixante-treize ans et qui a dit à ma mère : « Je ne sais pas si vous pouvez rester parce que les Français sont déjà venus chercher ton frère. » Elle nous a donné l'adresse de la garçonnière de mon oncle. Nous ne sommes restées que trois jours dans cette chambre de bonne. Le souvenir qui m'en reste, c'est d'y avoir eu faim, si faim, et d'entendre ma mère me dire : « Je n'ai rien à te donner... » Il n'y avait ni pain, ni sucre, ni conserves, ni provisions. Ma mère n'osait pas descendre. Au bout de trois jours, on n'avait rien mangé du tout. Nous étions restées cachées, les fenêtres fermées, sans radio, sans faire de bruit, parlant à voix basse, de peur que les voisins viennent voir si nous étions là, que la gardienne entende du bruit... Ma mère ne pleurait pas, moi je pleurais, parce que j'avais faim ; parce que je voulais aller à l'école et que je ne pouvais pas y aller.

Liliane

La seule chose que je me rappelle c'est la dernière fois où je l'ai vu. C'est drôle, parce que cette fois-là, je me suis retournée, quand j'étais avec Maman, et il m'a regardée d'une façon très particulière, comme s'il sentait qu'il ne me verrait plus. Quand je pense à lui, je pense à cette image, comme si c'était une photographie gravée en moi. C'est ça que je me rappelle de lui. Et pendant la guerre, quand il était militaire, il m'a fait un petit cœur, et dans ce petit cœur, il y avait sa photo où il y avait marqué : « Pour ma Renée chérie », avec la date derrière. Ce petit cœur, je l'ai toujours gardé.

Renée

Mon père s'est mis à pleurer. Il a dit : « Emmenez-moi. Laissez ma femme et mes enfants. » Alors les policiers ont été généreux. Ils lui ont dit qu'ils reviendraient le lendemain matin pour chercher le reste de la famille. Mon père a enlevé son alliance. Il me l'a donnée. Il m'a dit : « Tu donneras ça à Maman » ; il a donné sa chaîne en or, avant de nous dire : « Je laisse tout. Je vous dis au revoir. » Et ils l'ont emporté vers Drancy.

Henri

Nous sommes nombreux, serrés les uns contre les autres. Ma mère, à ce moment, n'a qu'une idée en tête : nous voir fuir... Elle ne cesse de dire aux autres femmes : « Non, on ne part pas pour travailler en Allemagne, on ne peut pas travailler avec de petits enfants. » À ce moment, une voisine s'approche de ma mère et lui dit : « Léa, ma fille vient de s'enfuir par une issue de secours. » Ma mère nous donne l'ordre d'en faire autant, de retourner chez nos grands-parents ; moi je ne veux pas, j'ai huit ans, je m'accroche à sa jupe. Alors ma mère nous gifle pour nous obliger à réagir. À ce moment, je n'ai pas compris que c'était un acte d'amour et de déchirement pour elle...

Rachel

Dans cette grande pièce, trop étroite pour nous, il faisait déjà très chaud et l'air frais devenait rare car les fenêtres restaient hermétiquement closes. Les policiers y veillaient. Nous étions tellement abattus qu'il n'y avait pas de plaintes. Pour les policiers qui nous surveillaient, avec un zèle sans faille, digne de tous les éloges même, nous devions constituer une certaine racaille, des gueux qu'il convenait de renvoyer dans leurs pouilleries.

Maurice RAJSFUS, *Opération Étoile jaune*, *op. cit.*

Mon amie Rosette nous a sauvé la vie en nous prévenant à temps. Je cours chez ma grand-mère, rue Eugène-Sue, très près de chez nous. De sa voisine de palier, j'apprends qu'elle aussi a été emmenée, dénoncée par sa concierge qui s'est empressée de tout piller dans son modeste appartement. Je suis complètement abattue. Les parents de Rosette nous hébergent rue de Clignancourt. Je redoute la suite des événements, nous sommes toujours en danger. Deux jours après je veux récupérer quelques affaires rue Ramey. L'appartement est déjà sous scellés. Il y est écrit en allemand et en français qu'on ne doit pas y pénétrer sous peine de représailles. Je les brise cependant et entre. Je vais d'une pièce à l'autre, dans la chambre de mes parents, je m'arrête devant la cheminée sur laquelle a toujours trôné la couronne de fleurs d'oranger séchées, enfermée sous une petite cloche en verre, souvenir de leur mariage. Je regarde machinalement les deux obus, vestiges de la guerre de 1914, que Maman astiquait régulièrement. Je dévore des yeux ma petite chambre, j'ouvre tous les tiroirs, mais trop choquée je repars sans rien emporter. Je fais de même chez ma grand-mère. Quelques jours après, un camion emmène nos meubles et tout le reste. Je ne peux m'empêcher de penser à mes poupées et surtout à mes chers livres.

Claudine BURINOVICI-HERBOMEL, *Une enfance traquée*, *op. cit.*

Quand on est revenues à la maison, la porte de l'appartement avait été ouverte. Pendant le laps de temps que Maman avait mis pour aller me chercher et revenir, on nous avait cambriolés. Les personnes qui avaient fouillé avaient cherché les objets de valeur, l'argent… Tout était sens dessus dessous. Les tiroirs par terre, les armoires, tout avait été jeté par terre, les têtes de mes poupées avaient été arrachées. On aurait cru qu'une horde de sauvages était passée. Je ne sais pas exactement ce qu'on nous a pris parce que Maman ne m'a rien dit, mais je sais qu'après on a retrouvé chez le concierge de l'immeuble quelques pièces d'argenterie, du linge, des choses comme ça. C'est lui qui nous avait cambriolés. Maman a voulu aller au commissariat de police pour dire qu'on venait d'être cambriolés. Il nous a arrêtées au passage, en se permettant de tutoyer Maman et en lui disant: «Où tu vas donc comme ça?» Alors elle lui a dit: «On vient d'être cambriolés, je vais voir le commissaire de police.» Alors il lui a dit: «Moi, à ta place, je réfléchirais. Tu sais bien qu'aller voir la police dans les conditions actuelles, ça n'est pas tellement une bonne idée.» Alors Maman et moi, on est restées au pied de l'escalier, sans plus savoir quoi faire. Maman me regardait; moi, je ne savais pas quoi lui dire. On est remontées à la maison, on a rangé et puis on n'a pas été au commissariat.

Cécile

On a retrouvé un logement vide puisque les Allemands l'avaient vidé. Mais en fait, on a appris après que ça n'était pas les Allemands qui l'avaient vidé, c'était nos voisins, la concierge, tout le monde s'était partagé nos affaires. Et c'est arrivé comme ça dans la plupart des appartements juifs.

Jacques

À partir de 1942, ça va de plus en plus mal, mais mon père s'arrange aussi avec plusieurs concierges pour pouvoir changer de domicile. Il s'agit d'appartements dont les habitants ont déjà été raflés et dans lesquels on peut rentrer avec l'aide d'un concierge et d'une bougie. On réchauffe le cachet en cire rose, on entre dans l'appartement, on ne fait pas de feu. Et une fois la porte refermée, le concierge remet un peu de bougie pour recoller la cire. Pendant ce temps-là, il peut y avoir toutes les rafles que l'on veut dans l'immeuble, mais l'appartement en question n'est pas touché.

Colas

Des déportations, à Belleville, il y en avait tous les jours. Des déportations de petits ouvriers, de tailleurs, de cordonniers, de coiffeurs... Et tous les jours j'ai entendu des cris, des cris des familles que les policiers venaient chercher.
À l'école, on me traitait de sale Juif; j'avais l'étoile qui était cousue sur mes vêtements; mes amis disparaissaient; les enfants juifs disparaissaient du jour au lendemain en permanence; on savait qu'on emmenait les gens, même si on ne savait pas très bien où. Toute cette période-là m'a donné des cauchemars. J'avais six ou sept ans. Je n'arrivais pas à dormir. Au moindre bruit, je croyais entendre des pas...

Je criais : « Au voleur ! On vient m'enlever ! On vient me voler. » Et mon père ne savait pas comment me calmer, parce que je poussais des cris en pleine nuit, comme ça. Alors il prenait un broc d'eau et il me calmait avec un jet d'eau froide ; ensuite, j'étais dans mes draps mouillés, je tremblais de partout, et je ne pouvais plus crier. Ça s'est passé comme ça toutes les nuits. Je n'arrivais plus à dormir du tout.

Henri

La Peur, la Peur avec un P « colossal », la Peur en grosses gouttes de pluie…
La tristesse et la peur sont entrées en nous pour ne plus nous quitter. Je ne chante plus, je ne ris plus, personne ici ne veut comprendre ce qui s'est passé, ce qui peut nous arriver. Où sont mes amies ?
La nuit, les enfants crient, se réveillent effrayés par leurs rêves…

Sylvie

Le Vél'd'Hiv, ça a été terrible. C'était déjà noir de monde. C'était des cris, c'était affreux parce qu'il était déjà bondé. C'était au mois de juillet, il faisait une chaleur terrible. On a été mises dans le haut des gradins. Et là on a passé, je crois, cinq ou six jours. Ça a été le cauchemar… La chaleur, les cris. Les femmes qui appelaient les enfants ou les enfants qui appelaient leurs mères. Je ne me souviens pas de grand-chose, sauf de la soif. La soif, cette lumière qui restait toujours allumée… C'était épouvantable. La puanteur… les toilettes se sont trouvées vite bouchées. Et je vous dirai franchement que je crois qu'on faisait les besoins derrière nous, à côté de nous, je ne sais plus trop où.

Hélène

Nous avons été envoyées à Drancy le 15 août 1942. C'était un camp de concentration, des barbelés, des miradors, des gendarmes français. C'était une discipline très dure. Personne n'avait le droit de se balader dans la cour.

Annette

Je tiens à dire que pendant trois semaines à Drancy, je n'ai jamais vu un Allemand ; je n'ai vu que des Français, des gendarmes. Le drapeau français flottait sur le camp. Ils habitaient dans les gratte-ciel.

C'était un camp de concentration français. Tout comme les autres camps, Beaune-la-Rolande, Pithiviers, Rivesaltes... qui étaient des camps français.

Philippe

À aucun moment il n'y a eu des Allemands à cette époque-là. On n'était gardés que par la police française. On était déjà, nous les enfants, recouverts de vermine. Après que les mères ont été déportées, il ne restait plus que les enfants. Ils ne savaient pas quoi faire de nous... À Drancy, rien n'avait été prévu pour les enfants, puisque les enfants au départ ne devaient pas être ramassés. Ils ont fait ça, paraît-il, ça a été un « geste humanitaire ». Ils n'ont pas voulu séparer les femmes et les enfants. Quand on est arrivés, on nous a parqués dans une grande pièce qui n'était pas achevée, il n'y avait pas de cloisons, rien du tout. Il y avait de la paille étendue sur ces parquets en ciment. On n'était qu'entre enfants.

Hélène

Il n'y avait qu'un seul groupe de tinettes. Il fallait être dix en bas de l'escalier pour être autorisés à y aller. Alors il fallait se mettre en rang par deux, et si on n'était pas dix, il fallait attendre qu'il y en ait encore d'autres. Ma sœur avait une dysenterie épouvantable. Elle devait courir tout le temps. Nous avons été mises d'emblée avec les enfants qui venaient de Pithiviers, dans ce qu'on appelle le bloc des partants. Un bloc, c'était six escaliers, c'était 1-2-3 ; 4-5-6. Et c'était là qu'on mettait ceux qui allaient être déportés tout de suite. Donc ça n'était pas la peine de les installer : il n'y avait plus de châlits, il y avait de la paille par terre, il n'y avait pas de sanitaires du tout. Il y avait une tinette dans un couloir, dans l'escalier. Ça dégoulinait d'un escalier à l'autre. Il n'y avait qu'un point d'eau. C'était absolument affreux. Les gosses qui étaient là attendaient. On était sur le départ, on ne savait pas où on allait aller. On ne savait pas où étaient partis les parents. Les enfants n'arrivaient même plus à pleurer. Ils se couchaient ; ils ne se nourrissaient pas ; ils faisaient pipi sur eux. C'était le cauchemar. On était dans l'escalier 4 et nous avons donc vu le départ de l'escalier 1-2-3 qui a été vidé le matin de bonne heure. La veille, les enfants sont passés successivement dans la cour dans une espèce de coin limité par une espèce de paravent, qu'on voyait de haut. On y tondait pour le départ, pour la déportation. Tous les gens qui partaient étaient tondus. Et ma hantise à moi, c'était de savoir que deux jours après, ce serait mon tour, j'allais être tondue. C'était ça la première crainte. C'était encore un stade de plus vers l'humiliation. Nous attendions... On était résignés. À l'époque, il y avait trois départs par semaine et mille personnes par départ.

Annette

La tonte commença; les cheveux tombaient dans l'eau, se collaient à sa peau, se mélangeaient à ses larmes, ses cheveux l'aveuglaient. Elle criait, gesticulait, souffrait de se voir dégradée, souillée par leurs grosses pattes. L'outrage d'être ainsi livrée, une fois encore, à la brutalité des adultes finit par l'anéantir. Elle se laissa glisser dans le liquide jusqu'à immersion totale. On l'agrippa aux épaules, au cou, sa tête fut hissée hors de l'eau. Elle pensa aux vengeances possibles, mais aucune n'égalerait jamais l'humiliation infligée là. Où était la douceur de grand-mère? La «douceur» du camp, où étaient ceux qu'elle aimait? Un océan de regrets la submergea. L'enfant mélodieux était mort en elle. À partir de cet instant, elle quitta l'enfance et cessa d'y penser.

Marina

Madeleine Kahn, *L'Écharde,*

Des autobus arrivent. Nous en sortons des petits êtres dans un état inimaginable. Une nuée d'insectes les environnent ainsi qu'une odeur terrible. Ils ont mis des jours et des nuits pour venir de Pithiviers en wagons plombés; quatre-vingt-dix par wagon avec une femme, qui, en général, a deux, trois, quatre gosses à elle dans le tas.
Ils ont de quinze mois à treize ans, leur état de saleté est indescriptible, les trois cent quatorze sont remplis de plaies suppurantes: impétigo. Il y aurait tant à faire pour eux. Mais nous ne disposons de rien, malgré le dévouement incomparable de notre chef de camp, le commandant Kohn. Immédiatement, nous organisons des douches. Pour mille enfants, nous disposons de quatre serviettes! et encore avec difficulté. Par groupes, nous emmenons ces enfants aux douches. Une fois nus, ils sont encore plus effrayants. Ils sont tous d'une maigreur terrible et vraiment presque tous ont des plaies: il va falloir essuyer les enfants sains avec une serviette et les autres presque toujours avec la même souillée. Notre cœur se serre.

Autre drame : ils ont presque tous la dysenterie. Leur linge est souillé d'une manière incroyable et leur petit baluchon ne vaut guère mieux. Les mamans les avaient quittés avec leurs petites affaires bien en ordre, mais il y a de cela quelques semaines et, depuis, ils sont livrés à eux-mêmes. Dans le wagon, ils ont d'ailleurs mélangé leurs affaires. Des femmes de bonne volonté se mettent à laver leurs effets, presque sans savon, à l'eau froide ; à cette époque il fait très chaud et cela sèche vite, mais ils sont mille.
Très vite nous nous rendons compte que tout ce que nous essayons de faire est inutile. Dès que nous remettons à ces petits des effets un peu propres, une heure après ils sont sales. Les médecins les examinent à tour de bras. On leur administre du charbon, on les barbouille tous de mercurochrome. On voudrait les mettre tous à l'infirmerie ; c'est impossible : ils doivent repartir vers une destination inconnue.
Lâchement, nous leur avons dit qu'ils allaient retrouver leurs parents et pour cela ils supporteraient tout.

Jamais nous n'oublierons les visages de ces enfants : sans cesse, ils défilent devant mes yeux. Ils sont graves, profonds et, ceci est extraordinaire, dans ces petites figures, l'horreur des jours qu'ils traversent est stigmatisée en eux. Ils ont tout compris, comme des grands. Certains ont des petits frères ou sœurs et s'en occupent admirablement, ils ont compris leurs responsabilités.
Ils nous montrent ce qu'ils ont de plus précieux : la photo de leur père et de leur maman que celle-ci leur a donnée au moment de la séparation. À la hâte, les mères ont écrit une tendre dédicace. Nous avons toutes les larmes aux yeux ; nous imaginons cet instant tragique, l'immense douleur des mères. Ces enfants savent que, comme les adultes, ils seront impitoyablement fouillés par les gens de la Police aux questions juives. Entre eux, ils se demandent s'ils auront la chance de conserver un petit bracelet, une petite médaille, souvenir des temps heureux. Ils savent que ces bijoux n'ont pas grande valeur, mais ils connaissent la cupidité de leurs bourreaux. Une petite fille de cinq ans me dit : « N'est-ce pas, madame, ils ne me la prendront pas ma médaille, c'est pas de l'or. »
Dans leurs petits vêtements, les mères ont cousu un ou deux billets de mille francs et ce petit garçon de six ans nous demande : « Fais le gendarme pour voir si tu découvres mon argent. » Quelquefois, la vie reprend le dessus : comme des enfants, ils jouent ; ils ont des jeux à eux : ils jouent à « la fouille », à « la déportation ».
Il y a des contagieux. On en met à l'infirmerie en vitesse. Avec les moyens du bord, on fabrique de petits lits ; mais ils sont des quantités

à partir avec la scarlatine, la diphtérie... Nous essayons de faire la liste de leurs noms. Nous sommes surpris par une chose tragique: les petits ne savent pas leurs noms. Un petit garçon, auquel nous essayons par tous les moyens de le lui faire dire, répète inlassablement: «Mais je suis le petit frère de Pierre.» Les prénoms, noms et adresses que les mamans avaient écrits sur leurs vêtements avaient complètement disparu avec la pluie et d'autres, par jeu ou par inadvertance, ont échangé leurs vêtements.
En face de leur numéro figuraient sur les listes des points d'interrogation.
La question nourriture est aussi un désastre: que donner à ces petits déjà malades, cette soupe d'eau et de carottes, pas assez de récipients, ni de cuillères. Nous étions obligées de faire manger les plus petits.
Je me souviens d'une petite fille de deux ans environ, adorable, et qui miraculeusement était restée propre. Une de mes amies l'avait prise dans ses bras pour la faire manger. Immédiatement elle s'était assoupie; chaque fois qu'on voulait la déposer sur une paillasse, elle se réveillait et hurlait. Elle avait rencontré une tendresse qu'elle ne connaissait plus et ne voulait plus qu'on l'abandonne. Mon amie, les larmes aux yeux, n'osait plus la quitter et s'occuper des autres qui, tous, avaient besoin de nous. Il fallait les coucher trois ou quatre sur des paillasses infectes et qui le devenaient d'heure en heure de plus en plus, à cause de cette dysenterie, qui torturait tous ces corps.
Beaucoup n'avaient plus de chaussures. Nos cordonniers à certains ont pu fabriquer des spartiates avec des morceaux de bois et des ficelles. D'autres sont partis nu-pieds.
Avant le départ pour le grand voyage, on passait à la tonte les hommes et les enfants des deux sexes. Cette mesure est vexatoire et agit beaucoup sur le moral des individus, particulièrement chez les enfants. Un petit garçon pleurait à chaudes larmes. Il avait environ cinq ans. Il était ravissant, des cheveux blonds bouclés, qui n'avaient jamais connu les ciseaux. Il répétait qu'il ne voulait pas qu'on lui coupe les cheveux, sa maman en était si fière et, puisqu'on lui promettait qu'il allait la retrouver, il fallait qu'elle retrouve son petit garçon intact.
Après le départ de ces trois mille ou quatre mille enfants sans parents, il en restait quatre-vingts vraiment trop malades pour partir avec les autres; mais on ne pouvait les garder plus longtemps. Nous leur préparons quelques vêtements. Ils ont de deux à douze ans. Comme les adultes, ils sont mis dans ces escaliers de départ inoubliables. On laissait parquées les mille personnes choisies pour le prochain départ pendant deux ou trois jours, isolées du reste du camp. Hommes,

femmes, enfants, sur de la paille souillée rapidement… Tous gisaient sur la paille mouillée, mourants qu'on transporte sur des civières, aveugles, etc.
Une amie et moi devions, à partir de trois heures du matin, nous occuper de ces quatre-vingts enfants, les préparer au départ, les habiller… En rentrant dans ces chambrées, il y avait de quoi se trouver mal. Je trouvais mes enfants endormis, les petits déjà infectés avec leur dysenterie. Sans lumière, je commençais à les préparer; je ne savais pas par quel bout commencer. Vers cinq heures du matin, il fallait les descendre dans la cour, pour qu'ils soient prêts à monter dans les autobus de la STCRP qui menaient les déportés à la gare du Bourget.
Impossible de les faire descendre: ils se mirent à hurler; une vraie révolte; ils ne voulaient pas bouger. L'instinct de conservation. On ne les mènerait pas à l'abattoir aussi facilement. Cette scène était épouvantable; je savais qu'il n'y avait rien à faire; coûte que coûte, on les ferait partir.
En bas, on s'énervait. Les enfants ne descendaient pas. J'essayais de les prendre un par un pour les faire descendre; ils étaient déchaînés, se débattaient, hurlaient.
Les plus petits étaient incapables de porter leur petit paquet. Les gendarmes sont montés et ont bien su les faire descendre. Ce spectacle en ébranla tout de même quelques-uns.
Au moment du départ, on pointait chaque déporté. Sur les quatre-vingts gosses, environ vingt ne savaient pas leurs noms. Tout doucement, nous avons essayé de leur faire dire leurs noms; sans résultat.
À ce moment surgit devant moi le maître de toutes ces destinées, le sous-officier allemand Heinrichsohn, vingt-deux ans, très élégant en culotte de cheval. Il venait à chaque départ assister à ce spectacle qui, visiblement, lui procurait une immense joie.
Je ne puis oublier la voix de ce petit garçon de quatre ans, qui répétait sans arrêt sur le même ton, avec une voix grave, une voix de basse incroyable dans ce petit corps: « Maman, je vais avoir peur, Maman, je vais avoir peur. »

Odette

Serge Klarsfeld, *Mémorial de la déportation des enfants juifs en France*, *op. cit.*

À l'heure actuelle, la déportation des femmes est presque terminée. Les départs se sont faits par groupes de mille, dans des conditions épouvantables. Les femmes et les enfants, à partir de treize ans, sont entassés dans des wagons à bestiaux, plombés, au pain sec et à l'eau, dans une atmosphère infecte, pendant plusieurs jours. Avant le départ, les femmes étaient fouillées, déshabillées presque nues, pour voir si elles ne cachaient pas quelque chose. On leur a volé argent, bijoux, alliances, jusqu'aux couvertures de laine.
Des scènes tragiques et révoltantes se sont déroulées quand on a séparé les mères de leurs enfants. Ceux-ci se cramponnaient à leurs mères en criant: « Maman, ne pars pas ! » Plusieurs femmes se sont jetées sur leurs enfants, en demandant aux gendarmes de les tuer sur place, plutôt que de les arracher à leurs gosses. Les gendarmes effectuaient les séparations à coups de matraque, n'épargnant même pas les enfants. Presque toutes les femmes ont de fortes traces de coups. Comme elles refusaient de quitter leurs enfants, elles furent poussées de force dans les cars, bourrées de coups, et menacées de mort.
Les enfants de deux à treize ans, au nombre de cinq mille environ, sont restés seuls, sans aucune surveillance, affamés, dans la crasse, mourant comme des mouches. On leur a donné des numéros, et c'est ainsi qu'on les appelle désormais.

Les enfants qui étaient restés à Pithiviers et à Beaune-la-Rolande ont été au bout de quelque temps amenés à Drancy par convois de mille. À Pithiviers, on les a réveillés à minuit et ils ont attendu deux heures le départ. Ceux de cinq ans et au-dessus devaient porter eux-mêmes leurs paquets. À Drancy, ils se sont retrouvés dans des conditions encore pires qu'avant, car ils ne pouvaient sortir, jouir, ne fût-ce que quelques heures par jour, de l'air et de la lumière du soleil. Des adultes libérés ont raconté que ces pauvres petits souffraient terriblement de la faim et mendiaient du pain aux gendarmes. Ils couchent par terre, ils sont sales et déguenillés.
Mais Drancy n'est qu'une étape avant la déportation. En effet, les enfants sont emmenés par groupes de mille « vers l'est », dans les mêmes conditions que les adultes. On commence par détruire leurs pièces d'état civil. On leur rase la tête, on rase aussi la partie génitale des fillettes de dix, onze et douze ans. On les entasse dans des wagons plombés. Pour toutes provisions, l'Union des israélites de France leur a donné des fruits à emporter. Des témoins ont vu en gare de Châlons-sur-Marne des mains d'enfants passer, par l'orifice des wagons à bestiaux où ils étaient enfermés, des bouteilles vides.

Des soldats allemands de garde ont empêché d'approcher les personnes qui voulaient prendre ces bouteilles pour les remplir d'eau. Non contents de déporter les enfants internés, les Allemands font rechercher ceux qui auraient pu échapper – les enfants confiés aux asiles, aux orphelinats et même en pension chez des particuliers. On organise une véritable chasse à l'enfant. Ces temps-ci, une nourrice qui avait en garde un enfant de six ans, ayant été dénoncée par une voisine, a vu les gendarmes venir chercher l'enfant au moment même où la mère, qu'elle avait avertie par dépêche, accourait le reprendre. Un bruit inquiétant se répand ces derniers jours : on aurait décidé de procéder à la stérilisation chirurgicale de certains enfants. Quelques-uns auraient déjà été retirés d'un asile, en vue de cette opération. Un médecin spécialiste serait venu d'Allemagne tout exprès.

Document publié dans une brochure ronéotée à dix mille exemplaires par les organisations juives en septembre 1942 et diffusée en zone libre à Lyon, Nice, Toulouse et Grenoble

Près de la sortie du camp de Drancy, on nous a fait entrer dans une petite pièce. Un homme derrière une table a dit : « Vous allez partir du camp, les gendarmes vont vous emmener. » On nous a fait monter dans un car de police, quatre gendarmes nous accompagnaient. Quand la voiture a démarré, Manuel et moi, on a crié de joie. On n'arrêtait plus de parler, fébriles, chacun interrompant l'autre : « On va rentrer chez nous, à la maison. » On imaginait tout haut notre retour : on demanderait la clef à la concierge. On se cacherait sous la table et on surprendrait tout à coup Papa et Maman, André et Jacques. Ça en ferait une bonne surprise. On était sûrs de retrouver tout le monde à la maison.
À un moment donné, j'ai tourné la tête vers les gendarmes assis derrière nous. Ils nous écoutaient parler et silencieusement ils pleuraient. J'ai compris qu'on ne retournait pas chez nous, alors, moi aussi, j'ai pleuré.

Annette MULLER, *La Petite Fille du Vél'd'Hiv*, *op. cit.*

Les gendarmes nous ont conduits dans une bâtisse immense. C'était l'asile Lamarck. Dedans régnait la pagaille. On couchait dans des grands dortoirs, les lits collés les uns aux autres, des matelas posés par terre, avec à peine la place de passer. Il y avait une épidémie de scarlatine. Chaque jour, nous soulevions nos chemises pour montrer nos ventres

nus où devaient apparaître les petits boutons, premier symptôme de la maladie. Nous pouvions sortir dans la cour. Près de la porte, une longue table était installée. Parfois, derrière, des visiteurs nous regardaient. Nous n'avions pas le droit de les approcher. Parfois ils nous jetaient de la nourriture, fruits, pain, qu'on enterrait en grattant la terre pour la manger en cachette. Les poux pullulaient. La chasse aux totos devenait un jeu. Assis par terre au milieu de la cour, Manuel posait sa tête tondue sur mes genoux. Je cherchais les poux que j'écrasais entre les ongles des deux pouces. Ça crissait. Après c'était mon tour. J'offrais ma tête tondue à Manuel. Tous les enfants faisaient de même accroupis ou assis dans la cour, comme les singes du zoo de Vincennes. Quelquefois, on nous amenait dans une salle en sous-sol à l'atmosphère surchargée de vapeur où, dans un vacarme assourdissant, officiait un coiffeur à petites moustaches. Les enfants se débattant étaient traînés devant lui sous les huées des anciens déjà tondus. On chantait à tue-tête, sur l'air du carillonneur: «Maudit sois-tu, sacré coiffeur, que Dieu créa pour mon malheur.» Dès le point du jour, sa tondeuse à la main, il nous rasait la tête du soir au matin. Quand sonnerait-on la mort du coiffeur? C'était notre ennemi. Nous le haïssions tous.
Tous les jours arrivaient à l'asile des fournées d'enfants sales, squelettiques et boutonneux qui étaient mis immédiatement en quarantaine, dans les dortoirs surpeuplés, avant de se joindre aux autres. Ils venaient de Drancy.

Annette Muller, *La Petite Fille du Vél'd'Hiv*, *op. cit.*

On écrivait des cartes à mon père. Ma sœur avait un langage codé pour lui dire... «L'orage monte, le temps est très mauvais en ce moment», quand il y avait des rafles, des choses comme ça. Elle a fait ça toute seule. Je ne sais pas comment elle a pu trouver toute seule tout ce langage. Mon père ne lisait pas très bien le français, mais il comprenait très bien.

Flore

Mon petit Papa chéri,

Je suis énormément inquiète de ne pas recevoir de tes nouvelles. Ici, ce matin, nous avons eu très mauvais temps. L'orage s'est abattu sur «Guy Patin» où je suis et sur «Lamarck». Il y a eu des victimes.

Elles ont été obligées de faire leurs bagages et de partir dans un autocar qui les attendait à la porte. Les enfants se trouvent dans un petit coin, à huit kilomètres de Paris. L'air y est malsain. Trente et une de mes petits camarades sont là. Nous sommes inquiètes et redoutons encore une telle «saucée». Mais personne n'y peut rien. Seul Dieu connaît notre destinée. Enfin, mon petit Papa chéri, ne t'affole pas quoi qu'il arrive. Nous avons souffert. Nous souffrirons encore. Ne te tourmente pas comme Suzanne qui aussitôt devient blanche comme un linge. Mais ayons du courage et peut-être tout s'arrangera un jour. Pour le moment je t'embrasse bien fort.

Raymonde

Trois jours après l'arrestation de son père et de sa mère, Nathan Zakon écrit au préfet régional de la Marne pour implorer sa clémence à l'égard de sa sœur et de ses parents…

Monsieur le préfet régional,

J'ai bien l'honneur très respectueusement de solliciter de votre bienveillance votre intervention auprès des autorités allemandes pour faire revenir mon père et ma mère qui ont été arrêtés le 9 octobre 1942 sans autre motif que d'être de religion juive.
Le 19 juillet 1942, une sœur âgée de dix-huit ans avait déjà été enlevée, et à ce jour aucune nouvelle d'elle n'est parvenue, ce fait vous a déjà été signalé. Arrestation à Saint-Dizier, départ ensuite pour Châlons-sur-Marne et enfin transfert à Drancy d'où nous n'avons plus rien reçu d'elle depuis son départ de cette ville.
Ma mère Mme Zakon est âgée de cinquante-deux ans et de plus gravement malade ayant besoin de l'aide constante d'une tierce personne.
Mon père Zakon Israel âgé de quarante-neuf ans est lui aussi malade, il était en instance de soins et aux ordres de M. le docteur Després, de Saint-Dizier, qui avait prévu un mois d'arrêt de travail.
Malgré une telle situation, ils furent emmenés l'un et l'autre par la police française et très certainement sur l'ordre de l'autorité allemande…
Monsieur le préfet régional, je place tous mes espoirs en vos sentiments humanitaires. Je fais appel à votre esprit de justice et d'équité. Je m'adresse en un mot au père de famille que vous êtes pour que par votre intervention bienveillante et humaine, mon père, ma mère et ma sœur me soient retournés au foyer détruit et pour calmer mes inquiétudes à leur sujet.

J'attends votre décision à leur égard avec ferme confiance et en attendant votre honorable réponse et la suite qui sera réservée à vos démarches, je vous prie de croire, monsieur le préfet régional, à mes sentiments de reconnaissance anticipée et à mes respects.

Votre tout dévoué,

Zakon Nathan, âgé de dix-sept ans, seul et sans soutien.

53, place de la République à Saint-Dizier, Haute-Marne

La lettre de Nathan a entraîné son arrestation... Il a été déporté avec ses parents quinze jours après que le préfet a reçu sa lettre...

Serge KLARSFELD, *Mémorial de la déportation des enfants juifs en France, op. cit.*

Un peu avant la mi-août, c'est-à-dire déjà un mois après le Vél'd'Hiv, ils ont appelé les femmes et les enfants au-dessus de cinq ans. Ça a été leur tour d'être dans la cour en plein mois d'août, toute la journée, et le soir... expédiés. Et il restait dans la paille... les bébés ! Nous n'étions que deux pour prendre soin d'eux : Mlle de La Chapelle et moi. Le tout dans une dizaine de baraquements. C'est absolument fou. Deux jours avant, il y en avait trop, on n'arrivait même pas à les nourrir, à les changer. Et puis on n'avait plus rien pour les changer. C'était affreux. Je suis encore réveillée la nuit par les cris, les hurlements qui ne m'ont pas quittée.

Le jour où ils se sont décidés à emmener les bébés, les moins de cinq ans, et les nourrissons, alors on nous a priées de repartir. On a pris le train à la gare de Beaune-la-Rolande. Des Parisiens qui avaient été chez les amis ou chez les cousins de la campagne rentraient en chantant, heureux, béats... Ils rapportaient un poulet, des pommes de terre. Et nous, on sortait de l'enfer !... C'était affreux ! Descendre gare de Lyon et voir les filles françaises aux terrasses des cafés, assises sur les genoux des officiers allemands... On avait l'impression de sortir d'un autre monde.

Micheline

Près de Paris, il y a une énorme gare de triage... Là, on a vu des wagons avec des enfants qui partaient : des wagons à bestiaux, avec les mains des enfants. Les enfants chantaient dans les wagons. Ma mère, c'est simple, elle s'est évanouie. Il faisait une chaleur terrible, ces enfants dans les wagons qui voulaient de l'eau... c'était... Il y avait un vieux monsieur près de nous, et j'avais l'impression qu'il sentait quelque chose : il m'a pris la main. Et puis le train est parti, je ne sais plus si ce sont les enfants qui sont partis d'abord ou nous...

Irène

Lettre aux étoiles

Je suis né le 11 novembre 1929, onze ans après le jour officiel de la fin de la Première Guerre mondiale, et la guerre a été déclarée alors que je n'avais pas encore dix ans et que j'habitais la ville de Metz avec mes parents polonais, mes deux frères et ma sœur... Mon père était voyageur de commerce et ma mère s'occupait de ses quatre enfants. À Metz, notre appartement de cinq pièces n'était pas situé dans le quartier juif. Quand les Metzains parlaient de ce quartier, c'était toujours dans un sens péjoratif...

Lorsqu'il revenait de ses voyages, mon père nous rapportait des petits ronds de chocolat Meunier. Curieusement, je ne conserve aujourd'hui aucun souvenir de ma relation affective avec ma mère... Je ne la revois pas se pencher sur moi, je ne la revois pas me donner quelque chose, je ne la revois pas échanger avec moi ces secrets qu'échangent les mères avec leurs fils...

En octobre 1939, Metz fut évacuée et avec elle toute sa communauté juive, les pratiquants et ceux qui ne l'étaient pas. Tout le monde embarqua dans le même train, et chacun reçut un camembert et cinq francs... Nous sommes passés par Paris pour aller à La Rochelle. Notre famille s'est retrouvée à Royan. Nous y sommes restés onze mois. Après l'arrivée des Allemands en juillet 1940, j'ai servi de traducteur dans les grands magasins de la ville. Un jour, un Allemand maigre au visage émacié et portant des lunettes m'a demandé d'où je savais l'allemand... Je lui ai répondu que j'étais lorrain. Il m'a dit : « *Du bist ein Jude...* » J'ai pris la fuite et j'ai eu très peur...

Un autre jour, la police française nous a demandé, comme à toutes les familles juives de la ville, de ramasser nos affaires et de nous rendre à la gare. Nous avons été regroupés avec d'autres Juifs et envoyés en Dordogne...

Notre famille s'est retrouvée affectée dans une ferme abandonnée depuis 1914, sans eau, sans électricité, sans toilettes…
J'ai le souvenir d'avoir vécu dans ce village de Dordogne les deux plus belles années de mon enfance, à partir d'octobre 1940. Je découvrais la nature, les animaux, la vie simple… L'eau du puits était toujours fraîche et limpide… Mon père était peu à peu devenu paysan… Il s'était mis à retourner la terre devant la maison, puis à planter des pommes de terre, puis des carottes et des poireaux… J'allais à l'école et je l'aidais à la ferme. Il y avait des arbres fruitiers, des fleurs, des lilas ; il y avait des poules, des canards et des oies à gaver… Mes parents pratiquaient peu leur religion, mais ils priaient…

À partir de 1942, il fallut porter l'étoile jaune… En dehors de deux jeunes filles qui me demandèrent « ce que les Juifs venaient faire par ici », l'étoile ne déclenchait aucune réaction chez les paysans et les fils de paysans… Beaucoup ne comprenaient pas ce qui se passait…

Nous habitions à deux kilomètres au nord de la ligne de démarcation. Une nuit d'octobre 1942, à deux heures du matin, des gendarmes sont venus nous indiquer que nous avions trois heures pour préparer nos baluchons et qu'un car viendrait nous chercher… Toutes les familles juives furent d'une docilité exemplaire et une seule famille manqua à l'appel…

Arrivées à Angoulême, les familles furent regroupées. Trois cents personnes furent massées dans une grande salle dont le sol était recouvert de paille. Nous sommes restés là quatre ou cinq jours. Des Allemands en civil collectaient successivement nos bijoux, notre argent, nos papiers, nos cartes d'alimentation…

Un soir, les Allemands ont indiqué que les enfants qui avaient été déclarés français devraient être séparés des autres le lendemain matin. J'étais le seul concerné dans ma famille. Mon père me fourra dans la poche un porte-monnaie dans lequel il y avait sa montre à gousset, la montre de ma mère, leurs deux alliances, son canif et tout l'argent liquide qu'il avait sur lui : environ sept cents francs.

Le matin de la séparation est venu. Nous étions une dizaine d'enfants de nationalité française. Curieusement, mes parents n'avaient pas déclaré mes frères et sœurs. Ils n'étaient donc pas susceptibles d'être provisoirement sauvés… J'ai voulu rejoindre mon père, mais un bonhomme

en civil qui gueulait très fort m'a donné un formidable coup de pied dans le cul, énorme, et m'a dit : « Reste là ! cochon de Juif… »
Mon père pleurait. Il m'a tendu les bras… Il m'a crié : « Robert, n'oublie jamais que tu es juif… »
Et je me suis mis à rire… Parce que je n'avais jamais vu pleurer mon père… Parce que je n'allais pas bien du tout… Je sais bien aujourd'hui que ce rire était nerveux, mais je me suis toujours demandé si mon père avait vu ce rire, et s'il avait compris que ce rire n'en était pas un… Et cette question m'obsède. Je me demande quelle image il a pu garder de moi… Et ma question ne trouvera jamais de réponse. J'avais treize ans. Ma sœur avait huit ans ; mes frères avaient quatre et six ans. Et je n'ai jamais revu ni mon père, ni ma mère, ni ma sœur, ni mes deux petits frères…

Les sept cents francs de mon père, je les ai encore ; je n'y ai jamais touché… Les deux alliances de mes parents ont servi à mon mariage et aujourd'hui, quand ça ne va pas, je regarde celle de ma mère… J'ai gardé le porte-monnaie, mais je ne l'ai pas ouvert depuis vingt-cinq ans. Je conserve des photos de mes parents, le jour de leur mariage et puis une toute petite photo d'identité de mon père datant de l'époque de notre séparation. Il avait quarante-neuf ans… Mais je n'ai aucune représentation matérielle du visage de ma mère datant de l'époque de sa disparition.

Robert

Chapitre 4

Nuit

Certains enfants jouent dans les cours ; les ruelles pétillent de leurs éclats de rire... Mais vous êtes ailleurs...

Vous êtes un enfant du silence. Vous naviguez de nuit, en passager clandestin, blotti tantôt à fond de cale, tantôt sur le pont de ce bâtiment qui vous a recueilli et qui semble errer à l'aveuglette : bateau fantôme, sans pavillon, sans port d'attache, veillant à dissimuler toujours son point d'origine et son point de destination... Lorsque la mer est grosse, vous vous terrez au plus profond du ventre du navire, caché dans une malle ou dans un placard, prisonnier d'une nuit stérile, sourde, close et sans étoiles... Bercé par la nausée des odeurs de moisi, de renfermé, de relents de machines, de sueur et de tripes.

Lorsque la mer est d'huile, vous respirez sur le pont en veillant à passer inaperçu. Le ciel est vaste alors et semble embrasser la mer sans que l'on puisse savoir où l'un commence, où l'autre finit... Là-haut les étoiles dansent au rythme de la houle qui vous environne... Il arrive alors que la mer rabatte vers vous des effluves de campagne, de foin coupé, de feuilles mortes, de roses ou de pommes séchées, des odeurs de moisson, des odeurs de vendange ou de mise en bouteilles. Les parfums des saisons de la vie qui continue à faire chanter les sources, malgré la noria des autobus dans les villes, malgré la course des trains qui n'en finissent pas de transpercer le brouillard et la nuit pour charrier vers l'est leur cargaison d'hommes, de femmes et d'enfants, de ces trains dont on pourrait croire qu'ils font entendre, à travers le halètement des chaudières et la plainte des sifflets de leurs locomotives, les mugissements de l'enfer.

Quand ils ne sont pas vêtus d'un uniforme, les démons, les naufrageurs et les pirates qui hantent vos mauvais rêves ont une allure très ordinaire. Ils peuvent avoir le visage de l'homme au chapeau qui passe dans la rue ; celui du paysan courbé sur le manche de sa bêche ; celui de l'épicière qui remonte son rideau de fer; celui de la dame du troisième étage qui cache ses bigoudis sous un foulard, ou encore la figure de l'adolescent qui descend la poubelle dans l'escalier. Parmi eux, il en est qui se contentent d'épier, sans aller jusqu'à dénoncer, mais chacun de leurs regards est comme un fer porté au rouge qui viendrait marquer votre épaule d'une fleur de lys vengeresse... D'autres écrivent des lettres anonymes et venimeuses qu'ils envoient à la police ou à la Kommandantur... D'autres pillent les appartements déserts après l'arrestation de leurs locataires. Certains rançonnent leur prochain, vendant au prix de l'or ou des bijoux de famille la nourriture, les faux papiers, l'anonymat, monnayant au prix fort la fonction du passeur véreux ou celle de la nourrice indigne et tortionnaire...

D'autres enfin s'en viennent vendre leurs voisins pour quelques francs, sachant très bien que d'une façon ou d'une autre votre tête est mise à prix...

Mais vous découvrirez parfois qu'à côté de ces démons, de ces requins furtifs, de ces écumeurs des océans de la misère et de la détresse humaine, à côté de la foule anonyme et dense des lâches, des passifs et des indifférents, il est aussi des anges anonymes, sauveurs et courageux, des justes, des femmes et des hommes de bonne volonté, qui n'ont perdu ni l'âme ni la sensibilité de leur enfance... Ils ne sont pas si nombreux... Ils ne sont pas si rares... Ils ne sont animés ni par l'esprit de calcul, ni par le fiel de la haine, ni par l'appât du gain... Ils ne sont pas intimidés par la violence d'une tempête qui pourtant les terrorise... Il y a quelque chose, comme la lueur d'un phare, comme un éclat d'humanité qui brille dans leur regard. Il y a là comme un soupçon de poudre d'étoile, de cette même étoile qui semble, après avoir crucifié votre enfance, vous protéger à présent, de toute la persévérance de sa lointaine lumière...

J'étais seule au monde... J'ai passé la semaine complète en dormant dans les escaliers de service des immeubles, en m'installant dans les toilettes quand j'entendais un bruit. Je ne pouvais même pas m'y asseoir... J'avais un tout petit peu d'argent, mais je n'avais pas de carte d'alimentation, et la seule chose que l'on pouvait acheter sans tickets de rationnement, c'était du raisin. Alors je me suis gavée de raisins... De violentes coliques m'ont contrainte à l'abstinence... Je ne savais pas où aller; je ne mangeais plus rien; je me suis mise à errer, et je suis allée voir ceux qui me paraissaient être des relations, ou des amis de mes parents. Leur réponse était toujours la même, qu'ils soient juifs ou qu'ils ne le soient pas. Ils devaient avoir peur.

Probablement la peur plus que l'indifférence. Dans le meilleur des cas, ils m'invitaient à venir prendre le thé « un jour ou l'autre », « pour parler des miens » : jamais aucun d'eux ne m'a posé la seule question vitale pour mon avenir : « Quand as-tu mangé pour la dernière fois ? As-tu faim ? Où dors-tu ce soir ? »

Irène

On avait une chambre de bonne au cinquième étage. Et j'ai été cachée pendant un mois avec ma grand-mère dans cette pièce. On a su après la guerre que personne n'a jamais su qu'on y était cachées. Ni l'une ni l'autre ne prononcions un mot. On ne bougeait pas, on ne parlait pas.

Élise

Je me rappelle les conseils de ma mère pendant la guerre : « Il faut te cacher. » J'avais à peine six ans, j'éprouvais un sentiment de honte et de culpabilité, et je me « cachais » derrière les arbres de la cour de récréation de mon école publique.

Caroline

On peut avoir du mal à comprendre « enfant caché ». Mais c'est encore plus profond parce que c'était vraiment l'enfant caché des nuits entières dans des étables à ne pas respirer, et à avoir peur de chaque pas qui se produisait à l'endroit où on était.

Simon

Il semble que les cheveux de Maman sont devenus plus gris et ses yeux plus enfoncés. J'ai la désagréable impression que quelque chose en elle est brisé, ce qui me fait souffrir en permanence.
« Il faudra vous cacher, ne plus sortir, ne plus faire de bruit, je vous apporterai la nourriture la nuit, vous êtes grands, vous ferez honneur à Papa ! » Un silence interrogateur a suivi…

Renée

Pouvez-vous imaginer qu'à neuf ans, quelqu'un vous regarde dans les yeux et vous dise : « À partir de maintenant tu t'appelles comme ça, tu es seul au monde, tu n'as pas de frères, ni de sœurs et tes parents sont morts dans les bombardements. Quoi qu'on te dise, quoi qu'on te fasse, tu diras toujours la même chose, sinon, on te tuera ! » Le choc psychologique que j'ai subi ce jour fut tel que je me suis mise à faire pipi au lit et cela dura quatre ans !

Solange

L'enfermement, c'est la pire des sensations. L'impression de disparaître dans une fosse profonde, une oubliette. Les autres continuent à vivre comme si de rien n'était.

Maurice RAJSFUS, *Opération Étoile jaune*, *op. cit.*

Aujourd'hui seulement, je comprends ce qu'il y a d'horrible dans une sentence d'emprisonnement pour dix, vingt, et même trente ans. On dira peut-être que j'exagère, et que mener une vie où l'on ne fait rien d'autre que de manger et dormir est très agréable. Bien, c'est le bon côté, mais considérez le mauvais côté, être caché devant toutes les personnes étrangères, ne pas pouvoir sortir dehors, même pas un instant ; être obligé de parler doucement. Et le risque, si l'on vous attrape, d'être éliminé…

Otto

Quand on était à Nice et que les choses commençaient à aller très mal, parce qu'on était quand même cachés depuis six mois dans cette chambre mansardée, mon père, pour prendre l'air, montait sur une table sur laquelle il mettait une chaise de façon à ce que sa tête dépasse de la fenêtre, et il appelait ça « sortir ». « Je sors un moment ! » Et il prenait l'air, le malheureux…

Jean

Une nouvelle cache, d'autres péripéties. Des voix, des attitudes et habitudes différentes, des odeurs et des saveurs renouvelées, à accepter. Un lit inconnu, des coins et recoins souvent inattendus, des ombres insolites, un escalier qui piège votre frayeur dans le filet de ses craquements, un couloir qui retient sa respiration et gémit à votre premier pas, c'était cela aussi un nouveau cadre familial.

Chaskel

Ne pas remuer, ne pas se montrer. Je suis caméléon, je change de couleur, de forme ; je suis comme une plante qui, pour sa survie, prend la couleur, la forme de son milieu. Je suis l'eau qui dort ; je suis ce mouvement circulaire qui n'a pas de fin, je suis l'éternité, je suis Mélisande, l'inexistence, le presque rien. Pourquoi remuer, pourquoi tempêter ? Vanité des vanités ! l'univers revient toujours au même point. Alors ma défense suprême : l'immobilité. Je suis un meuble, un pied de piano. Je suis cachée sous le piano à queue, immensité des immensités. Assise sur mon petit banc, je vogue au gré des mouvements lents et furieux du piano, écoutant battre mon cœur.

Simone

Tout est calme dans la maison et dehors on entend chanter les oiseaux, cela doit être joli que d'être oiseau, on peut voler où l'on veut sans papiers ni permis, on est libre.

Otto

La peur me fait peur par le fait de ne plus avoir le regard de ma mère, de mon père sur moi. La peur de ne plus les regarder... Ma ligne d'horizon s'est brisée depuis qu'ils s'en sont allés. J'ai peur de savoir que je ne les entendrai ni ne les verrai jamais plus.
J'ai tenté d'écouter ma peur, de converser avec elle, de la retenir jusqu'à m'en faire une compagne, à m'habituer à elle pour ne plus en avoir peur ! Mais elle me fait si mal...

Sylvie

Je n'étais pas conscient d'être beau. Parce que être beau, c'était être capable de se mettre à la place du regard de l'autre. Et ça, j'en étais rigoureusement incapable. C'est-à-dire que pour voir que j'étais beau, il fallait que je me voie, or je ne me voyais pas. Je ne pensais pas être moche, mais je n'avais pas d'image de moi du tout, du tout. J'étais un visage sans traits, j'étais une forme extérieure qui n'avait pas de réalité pour moi.

Charles

À Lyon, on m'a inscrite à l'école. C'était une classe unique avec des enfants de tous les âges. Avant que je rentre à l'école, on m'a fait une «leçon d'identité» et on m'a dit: «Tu ne t'appelles plus Goldberg, tu t'appelles Page, Lily Page.» J'ai essayé d'intégrer ça. Je me suis retrouvée dans une salle de classe. J'étais déjà une petite fille objetisée, chosifiée. Je n'étais pas une enfant comme on en voit actuellement, délurée, réfléchie, ayant le sens de l'environnement. On me disait espiègle et mignonne. Mais dans mes souvenirs, quelque chose en moi était un peu passif comme si je subissais déjà les choses. Et donc je me suis retrouvée en classe, et l'instituteur a fait l'appel, il a donné plusieurs noms. À chaque fois, il y avait un aller-retour, un nom et puis une réponse «Présent!» ou «Présente!». Et à un moment donné, j'entends un nom avec insistance, personne ne répond, encore une fois, personne. Et subitement, illumination, c'était moi. On appelait «Page». Et d'un seul coup j'ai levé le doigt comme si on me réveillait et j'ai dit: «C'est moi» avec l'impression d'avoir échappé à quelque chose d'horrible.

Liliane

On me posait des tas de questions, sur plein de choses, ma famille, mon école, ce que j'avais appris, ceci, cela, je ne devais rien dire. Et j'inventais, j'inventais. Et après, on me reposait des questions. Je me disais: «Est-ce que je vais me rappeler? Qu'est-ce que j'ai dit? Le mensonge de l'autre jour, est-ce que je vais m'en rappeler?» Tout tourbillonnait dans mon cerveau, c'était effarant. J'étais épuisée de mensonges, de choses que je devais inventer. Je croyais devenir folle parce que je n'étais plus du tout dans le coup. On croyait que j'étais orpheline, mais moi, je n'étais plus rien, j'étais réduite à néant...

Franca

J'apprends à vivre caché. J'apprends à tout cacher au fond de moi-même. Mes pensées, mes plaintes, mes peurs. Je cache mon nez en bec d'aigle. Je cache mon pipi juif aux enfants de l'entourage. Je cache aussi ma couverture mouillée de la dernière nuit. Mouillée, mais non par mes larmes. Je cache mes prières dites à voix basse, pour moi, dans mon grenier. Je cache mes causeries avec la vache Laïké. Je cache mon enfance, mes actes, mes pensées, les mensonges et tout le monde imaginaire. Je vis caché en moi-même, loin des autres. Je tremble de peur sous ma couverture trempée de pipi. Je suis fait de cette peur. Qui sont-ils, tous ceux-là? Qui sont les visiteurs de mes nuits?
La nuit change de forme quand la peur me visite. Je suis dans la vallée des ténèbres. La peur est mienne, faite de ma chair, de mes

os. La peur de la nuit. De l'obscurité. La peur de la cour endormie. La peur de la peur qui monte au grenier. Elle approche lentement. En silence. Elle s'installe. Mon corps la remplit. La nuit et la peur conspirent contre moi. La nuit. La peur. Et leurs invités ont envahi ma couche. Ombres. Ombres aux grandes oreilles. Aux yeux étincelants. La lune les transforme en nains répugnants.

Maurice ROTH, *L'Enfant coq*,
op. cit.

Quand Lucien Bénard est allé chercher des enfants au début de la guerre, il a dit à sa grand-mère : « Je vais revenir avec des petits Juifs. » Grand-mère Vaillant, quand elle l'a vu arriver avec les trois enfants, a dit à Lucien : « Mais où sont les petits Juifs ? », parce qu'elle s'attendait à des êtres extraordinaires. Et il a dit : « Mais ce sont eux. » Elle a dit : « Mais je les connais eux ! C'est pas des Juifs ! Ils sont comme nous ! » Vous voyez, dans l'esprit populaire, les Juifs c'était vraiment des gens avec des cornes sur le front, des êtres à part.

Henriette

Ça semble tout à fait paradoxal, mais moi, j'ai été très heureuse. Je n'ai pas le souvenir d'avoir ressenti l'absence de mes parents, j'étais bien, j'étais comme une petite paysanne, tout à fait adaptée aux gens, aux lieux, aux bêtes. Je gardais les chèvres, j'allais chercher de l'herbe pour les lapins, j'étais vraiment très heureuse. Avant la guerre, j'avais été très maladive. Maman disait toujours que j'avais eu toutes les maladies infantiles possibles et imaginables. Et là-bas, je n'ai jamais été malade une seule fois, même pas un rhume alors que les hivers étaient rudes pendant la guerre et que la maison n'avait ni eau ni électricité. C'était vraiment le Moyen Âge. On vivait en autarcie totale.

Henriette

Je peux dire que je n'ai jamais eu faim. On se nourrissait uniquement pratiquement de châtaignes et de pommes de terre. Le samedi c'est moi qui nettoyais les tables. Et quand j'avais fini ce travail, Mme Moreilleras qui était accroupie devant sa cheminée faisait des galetous, une spécialité du vieux Limousin, à base de farine de blé noir, de sarrasin. Elle y mêlait un petit peu de farine d'orge ; elle avait un coup de main extraordinaire pour le faire. Quand j'arrivais, elle

empoignait un de ses galetous, tout chaud, tout frais, et me flanquait une grande louchée de crème dessus et me disait : « Tiens, mon Georges ! »
Pour tout le monde, là-bas, j'étais Georges Carvanais, c'est ce qui était écrit sur ma fausse carte d'identité. Et encore maintenant, les gens du village, les anciens, ne m'appellent pas autrement.

Walter

La chasse aux doryphores revenait chaque printemps avec crissements et éclaboussures dorées, nauséeuses. La peur des coups de bec lorsque nous allions chercher les œufs au poulailler était compensée par l'assurance ambiguë de gober l'un d'eux. La serpette à herbe effleurait les talus et permettait d'entrouvrir les clapiers peuplés de présences chaudes, douces et tremblantes, jusqu'au rituel sacrificiel qui aboutissait à la séparation d'une peau retournée grotesquement vide et d'un écorché pathétique. D'autres scènes sanglantes sont restées dans la mémoire du petit campagnard que je devenais, avec l'exécution savante des poules, le plumage attentif que pratiquait maman Pierre avant le vidage précautionneux. Sous l'auvent des sacrifices se dressait aussi le billot sur lequel le bois de chauffage était fendu après sciage et avant superposition régulière des bûchettes le long de la paroi de la maison.

Frank

Nous prenions les repas dans la cuisine, dans des assiettes creuses. À la fin du repas, nous « trempions » et essuyions soigneusement notre assiette avec du pain, puis la retournions sur la toile cirée pour le dessert, dont le seul souvenir qu'il me reste est une impression douce et sucrée de confiture. Ah ! La petite madeleine de Proust !

Martine

Elle s'appelait maman Blanche. Lui, on l'appelait le père Clément. C'était des gens rudes parce que leur vie était rude. Mais si j'étais malheureux, c'était psychologiquement parce que j'étais au fond d'une campagne où je me sentais même intellectuellement assez isolé. Je n'avais pas assez d'échanges. Je menais une vie plus simple dont je ne peux pas dire que j'ai gardé la nostalgie, mais pour laquelle j'ai un certain faible. En tout cas, ça n'a pas été une période traumatisante.

On parle d'enfants cachés, mais je ne garde pas de mauvais souvenirs de cette période… sauf la séparation avec les parents et le fait que j'avais l'impression que mon copain Milda me manquait. À vrai dire, je ne savais plus qui me manquait le plus. Si c'était mon jeune copain d'école resté à Paris, ou l'affection de mes parents. Parce qu'il n'y avait aucune affection. On ne pouvait pas poser sa tête sur la poitrine ou l'épaule de maman Blanche. On était là pour se nourrir, pour travailler. On subvenait aux choses.

Icchak

Les cafetiers chez lesquels je suis sont des gens très simples, sachant à peine lire et écrire. Entre eux ils parlent patois. Ils ne comprennent pas ce que je fais chez eux. On leur a vaguement dit que nous sommes rassemblés là en tant que Juifs, mais ils ne savent pas ce que cela veut dire. Ils me considèrent comme une petite demoiselle de Paris. Je mange à leur table et les regarde avaler gloutonnement leur soupe. Après avoir trinqué de nombreuses fois avec ses clients, le patron est souvent ivre, ce qui ne l'empêche pas d'ajouter encore du vin dans sa soupe, de *faire chabrot*. Il crie après sa femme, qui courbe l'échine et ne réplique pas. Il lui arrive de la battre : elle a l'air d'y être habituée. Elle attend le dimanche, son seul jour de liberté. Elle me fait venir dans sa chambre, me montre ses beaux habits noirs repassés avec soin, sa coiffe en dentelle, ses chaussures bien cirées, car elle va à l'église, et ce jour-là, elle existe. Son mari l'ignore, l'église n'est pas pour lui. Moi, il me respecte, il soulève même sa casquette quand je descends au petit matin dans la salle. En plus de leur commerce, ils élèvent des cochons. Une fois par semaine, je les aide à remplir d'énormes chaudrons de pommes de terre et de châtaignes mélangées. L'ensemble cuit pendant des heures et des heures ; il s'en échappe une odeur délicieuse. Ils ont de la chance ces cochons ! Avant de monter me coucher, je remplis une petite écuelle de ce mélange encore fumant et, dans mon lit, je me régale. À part cela, je fais mon travail machinalement, pas un mot ne sort de ma bouche. Je me couche en grelottant, je suis une ombre.

Claudine Burinovici-Herbomel, *Une enfance traquée*, *op. cit.*

Je me souviens de la fin de la moisson. Pendant deux ou trois jours, une activité folle s'est emparée de la ferme. Une immense machine est

arrivée, la moissonneuse-batteuse. Guerre ou pas guerre, la moisson n'attend pas.
Ils sont devenus gentils – suspension du temps. Ils chantent, travaillent, suent. Il faut aider, nous le faisons de bon cœur; nous portons les paniers de victuailles, l'eau fraîche. Une poussière immense englobe la ferme, les balles de blé irisent la lumière. Le repas de fin de moisson sent bon. Les pommes de terre sous la cendre accompagnées de fromage blanc, de beurre et d'une miche de pain frais, c'est la féerie, la vraie vie.

Simone

J'étais devenu à dix ans aide-forgeron: ma tâche consistait à attiser le feu avec un énorme soufflet. À cette époque, les paysans travaillaient avec leurs vaches qu'il fallait ferrer. Je tenais fort à la main la queue de la vache, tandis que son maître lui tenait le pied pendant le ferrage. J'ai été aussi vacher. Mon travail consistait à amener mes vaches, qui étaient toutes de couleur crème, au pâturage, du matin jusqu'au soir; comme je n'avais rien à faire, je les nettoyais et les grattais pour qu'elles soient bien propres.
Il y avait un ruisseau qui coulait au bas du pré. L'été, je regardais les libellules bleues faire du surplace et aussi sauter, dans le pré, les petites reinettes vertes.
Il y avait aussi, non loin de là, une vénérable châtaigneraie où poussaient des ceps et des chanterelles que j'avais appris à ramasser ainsi que les châtaignes, la saison venue.
Il fallait aussi couper le foin à la faux pour la nourriture des vaches pendant l'hiver. J'ai fait tout cela. J'attelais un couple de vaches au joug que j'enroulais avec des lanières en cuir, puis je chargeais le foin dans la charrette pour le ramener à l'étable.
C'est vrai que le soir, je n'avais pas besoin de berceuse pour m'endormir.

Albert

Je ne me rappelle pas votre nom, Mère supérieure, et la nuit, je m'efforce d'oublier votre visage. Mais votre voix me poursuivra jusqu'à la fin de mes jours, jusqu'à mon dernier souffle. Vous faites peur et vous êtes la méchanceté même. Quand vous faites votre inspection du soir, vous entrez dans l'obscurité du dortoir comme un spectre en blanc pour vous assurer que tous les enfants ont bien fait leur prière à genoux, avant de se coucher. Moi je me cache sous ma couverture. Vous ne vous arrêtez jamais devant mon lit. Comment puis-je savoir que je suis différent ? Que je suis juif ?

Maurice ROTH, *L'Enfant coq*, *op. cit.*

J'avais six ou sept ans. On avait des dames qui venaient nous faire le patronage. Et ces dames-là m'ont dit un jour : « Tu sais, c'est ton père qui a tué Jésus... » Donc, dans ma tête, je voyais mon père clouer les mains de Jésus... Et elles me disaient : « Toi, tu ne peux pas prendre l'hostie, tu ne peux pas communier le dimanche. » Je voyais les autres faire leur prière tous les soirs. Je faisais toujours la mienne. Je me disais : « Eux iront en enfer mais pas moi. » Et quand j'en suis sortie, quand je suis rentrée à la maison, je me disais toujours : « Eux iront tous en enfer et pas moi. » Et j'avais presque pris mon père en grippe en me disant : « C'est lui qui a tué Jésus. »

Ginette

Dans le château passent des réfugiés. Parmi eux, une très vieille femme et sa fille. Elles se ressemblent comme deux gouttes d'eau. Elles restent longtemps. La vieille femme meurt. Il faut la veiller. Les monitrices se relaient. Elles ne dorment plus dans le dortoir. On me demande d'assurer la garde, peut-être parce que je ne suis pas très remuante. J'ai huit ans, la nuit dans un immense château. Des revenants au-dessus, des somnambules et des enfants qui crient de terreur, une morte à l'étage au-dessous, des chiens qui hurlent à la mort et l'orage qui éclate. Les roulements de tonnerre, des éclairs, les ombres, les fenêtres qui claquent, l'eau qui pénètre, qui me pénètre ; je suis eau, je ruisselle de toutes parts. Ce sont les Hauts de Hurlevent. Je crie, j'ai peur, j'appelle au secours, mais c'est un cri intérieur ; c'est une nuit de terreur, mais ce n'est pas un rêve. Personne ne viendra me réconforter.

Simone

Les gens chez qui j'étais allaient de ferme en ferme, essayant de ramasser du beurre, des œufs, des poulets, des lapins, pour faire du marché noir à Paris. La nuit, il fallait plumer les poulets, enlever la peau des lapins... des choses qu'un enfant n'aime pas beaucoup faire. Surtout moi, petite Parisienne ! C'était vraiment la chose la plus douloureuse qui pouvait m'arriver. Ils étaient assez gentils avec moi dans l'ensemble. Je dormais dans une pièce où il y avait des poulets, des canards, des lapins. On ne m'a jamais changé mon lit. On urinait à côté du lit. De toute façon, les animaux le faisaient. L'édredon était tellement sale que c'était toujours trempé pour ainsi dire quand on se couchait. D'ailleurs lorsqu'on mangeait, on ne lavait jamais les bols, on les mettait par terre comme ça les chiens les lavaient et puis on reprenait le bol. Mais c'était la même chose pour eux que pour moi.

Annie

On a atterri chez des paysans en Normandie, dans la Manche. Ces gens étaient des monstres. Ils nous ont torturés, ils nous ont battus... On les payait pour cacher des enfants, donc ils nous ont pris. Nous étions les souffre-douleur. Mon petit frère avait tellement peur, il avait trois ans, qu'un jour il avait fait pipi dans sa culotte, et ils lui ont collé une botte d'orties dans sa culotte. La femme était très méchante. Avec elle, c'était toujours des coups. Quand je lui disais : « Mais pourquoi tu me bats ? qu'est-ce que j'ai fait ? » Elle me disait : « Si moi je ne le sais pas, toi, tu le sais. »
On n'arrivait pas à manger, on vomissait, elle nous faisait remanger notre vomi. C'est trop dur à dire, on a l'impression de se salir soi-même en le disant. Ça a duré jusqu'à la Libération.

Hélène

Lorsque notre « nourrice » organisait des repas, il y avait deux services. Un pour les enfants dont les parents payaient et puis un pour nous, les enfants juifs, qui mangions des repas tout à fait différents... On a vraiment souffert de la faim, au point qu'on en était réduits à commettre des larcins. La nuit, on se levait, on allait voler des morceaux de sucre, du pain, des tickets de pain, de l'argent pour pouvoir en acheter le lendemain quand on allait à l'école. Un mouvement de solidarité s'est créé autour de nous... Il y avait en particulier une famille de Polonais, mais de non-Juifs, qui nous ont pris en affection et qui s'arrangeaient plus ou moins pour nous passer des sandwichs en cachette ; il ne fallait pas que ça se sache parce qu'on aurait été massacrés...

Samuel

J'ai été violée peu de temps après mon arrivée par le frère de la personne qui nous gardait; il s'appelait Pierre, c'était un célibataire qui travaillait à l'usine de chaussures dans une petite ville située à quelques kilomètres du village où nous nous trouvions. Il était aussi fossoyeur lorsque le besoin se présentait.
Il a fallu cacher ce viol et transformer la réalité: «Tu es tombée les jambes écartées alors que tu jouais à chat avec Pierre, il t'a poussée dans le dos.» Les seuls souvenirs que j'avais de l'événement étaient «l'accident» et «le sang» ou plutôt le sang et la répétition des faits tels que la mère Lulu voulait qu'ils soient nommés. Je ne me vois pas physiquement «saignant» ou perdant du sang, je me revois juste sur une table, je suis blessée entre les jambes et une femme est penchée sur moi et me soigne. Plus loin, dans un coin de la pièce, il y a un homme là, debout, qui regarde la scène. Je suis gênée, embarrassée par la présence de cet homme qui assiste à la scène alors que je suis dans cette position. C'est l'homme qui me dérange...

Solange

Il rentre dans la cour comme une ombre, les yeux luisants comme des braises: une lampe qui marche, une torche en mouvement. Il vacille, jure, hurle. Il se blesse, crie de plus belle. Les chiens font écho à ses aboiements. Il brandit une fourche. De mon grenier, je l'observe. Je suis ses mouvements. Il a des cornes. Ses yeux lancent des étincelles. Il me cherche. Il m'injurie, me traite de tous les noms. «Où es-tu, sale petit Juif? je sais où tu te planques!» Il se heurte aux meubles.
«Attends... Tu vas voir!» Il ricane, il rit, il crache. «Tu pues, Youpin!» Je suis paralysé. Je suis de marbre. Je suis glacé. Je suis mouillé. J'ai fait pipi dans mes culottes. Je suis dans mon grenier, assis dans la flaque de mon pipi. Je suis une statue de pierre. Je préfère les souris de mon grenier au patron du jeudi. J'ai peur. Je pleure. Je fourre mes mains entre mes jambes, ma tête entre mes genoux. L'obscurité me cache. Il est encore dans la cour. J'entends ses coups de poing contre la porte d'entrée. À l'intérieur, sa femme et sa fille font semblant de dormir. Moi aussi. Comme les poules, les vaches, les cochons, tous les animaux. Excepté les chiens. Les chiens hurlent et déchirent le silence, un silence de cimetière chrétien...

Maurice Roth, *L'Enfant coq*, *op. cit.*

Le paysan qui gardait Maurice était ivre mort à chaque retour du marché. Tout le monde en prenait pour son grade. Mais, pour son courage et celui de sa famille, Maurice Roth lui a fait attribuer la médaille des justes.

Aujourd'hui, anniversaire du divin Chopin. J'ai le plus grand chagrin de ma vie et j'ai pleuré, la nuit, dans le jardin. Je n'ai jamais mieux senti combien la nature est la seule chose au monde à qui se confier sans crainte de se voir trahir. La seule chose compréhensible. C'est aussi la nuit où j'ai le plus pensé. Et tandis que le quartier dormait, moi je souffrais, j'ai trouvé comme le vrai sens de la vie. Un peu de joie éphémère et beaucoup, beaucoup de malheur. La vie est trop longue si on doit la perdre dans la pourriture.

Yves

Je ne peux parler à personne de la maison, des enfants, des grands, des repas dans la salle à manger, de la vie elle-même. Mon corps est là, à Moissac, mais tout mon être est ailleurs, dans d'autres endroits, lointains. Parfois je vais jusqu'à la rivière, je m'oublie dans l'ombre murmurante de l'eau vive emportant les feuilles mortes, qui disparaissent sans retour. Je ramasse tout objet que je trouve par terre et le fais vivre. J'engrange tout un trésor de fables et d'allusions et en tire ma force. Elles seules connaissent mes secrets. Je me mire dans l'eau de la rivière ; je dialogue avec mon double. Lui seul me comprend. Je lui rends visite chaque jour, à l'enfant de la rivière, au fond de l'eau. Je le regarde et suis surpris de son silence. « Toi aussi tu es triste ? » je lui demande parfois. « Toi aussi tu attends ton papa ? » Personne n'est au courant de ces rencontres. Personne ne sait que j'ai un ami ici, un seul ami. Souvent des larmes coulent. Les traits de mon double se troublent et se rident dans l'eau…

Maurice ROTH, *L'Enfant coq,*
op. cit.

Bien loin, dans un coin du monde, j'ai une maman. Une maman adorable, blonde auparavant, avec de grands yeux bleu pâle, semblables à des eaux immenses. Sa bouche dorée sourit toujours et sa peau diaphane est teintée de rose. Ma maman reviendra un jour peut-être, je l'espère. Je la trouverai vieillie, pâlie, mais toujours dans mon cœur, ma maman m'apparaîtra jeune, joyeuse, belle, fraîche… Elle restera mon adorable maman. Il se fait tard, je suis retournée sur mon lit. Le ciel se teinte d'un bleu sombre. Les couleurs merveilleuses ont disparu. Un vent léger souffle par la fenêtre entrouverte. Je vais me coucher. La lune se lève. Au revoir, cher petit cahier; ce soir, j'ai déversé mon cœur. Me voilà soulagée... en apparence. Ce soir, je penserai aux êtres que j'aime tant.

Monique

Ma mère avait emprunté une machine à coudre. Elle travaillait à son rythme, en chantant. Elle habillait les dames du village et des environs. C'était la couturière de Paris... Il fallait bien s'occuper du ravitaillement depuis qu'on ne mangeait plus avec la famille. Elle était payée en volailles, beurre, œufs, fromages... Jamais je n'ai si bien mangé de ma vie... C'est de ce temps-là que date ma complicité avec ma mère. Nous dormions dans le même lit. C'était un moyen de se réchauffer... Je remplaçais surtout l'époux absent... Elle me racontait des histoires, sur son enfance, sur la Pologne, sur son mariage, son arrivée à Paris... Elle parlait beaucoup de mon père, elle oubliait que j'avais neuf ans... J'étais sa confidente, sa sœur, sa famille. Elle ne me parlait pas comme une mère parle à son enfant qu'on assomme de règles et de préceptes. Elle parlait pour parler, pour dire l'essentiel de ce qu'elle était. Le monde était fragile, notre avenir précaire, elle en était plus consciente que moi. On était à la merci d'un interrogatoire un peu rigoureux... d'une rafle. Elle voulait, quoi qu'il arrive, que je sache son histoire, la mienne, celle de mon père et de sa famille.
C'était probablement une façon d'échapper à l'angoisse. Nous formions un couple insolite. Les liens n'étaient pas d'ordre charnel, ma mère ne me ressemblait pas physiquement, tante Dora me ressemblait beaucoup plus. Nous avions en commun une histoire, il y avait mon père qui m'avait aimée – qui avait aimé ma mère. Il y avait une situation: nous étions seules... Ma mère me protégeait, et je la protégeais aussi d'une certaine façon... Je l'aidais... J'aimais faire le ménage, la cuisine. Je me sentais une grande personne utile. Plus tard cette complicité a toujours existé, mais avec des failles parfois...

Marie

Lettre de Liliane Gerenstein, onze ans, née à Nice, écrite à Dieu, quelques jours avant son arrestation à Izieu. Ses parents étaient déjà déportés.

« Dieu ? Que vous êtes bon, que vous êtes gentil et s'il fallait compter le nombre de bontés et de gentillesses que vous nous avez faites il ne finirait jamais… Dieu ? C'est vous qui commandez. C'est vous qui êtes la justice, c'est vous qui récompensez les bons et punissez les méchants. Dieu ? Après cela je pourrai dire que je ne vous oublierai jamais. Je penserai toujours à vous, même aux derniers moments de ma vie. Vous pouvez être sûr et certain. Vous êtes pour moi quelque chose que je ne peux pas dire, tellement que vous êtes bon. Vous pouvez me croire. Dieu ? C'est grâce à vous que j'ai eu une belle vie avant, que j'ai été gâtée, que j'ai eu de belles choses, que les autres n'ont pas. Dieu ? Après cela, je vous demande qu'une seule chose : faites revenir mes parents, mes pauvres parents, protégez-les (encore plus que moi-même) que je les revoie le plus tôt possible, faites-les revenir encore une fois. Ah ! Je pouvais dire que j'avais une si bonne maman et un si bon papa ! J'ai tellement confiance en vous que je vous dis un merci à l'avance. »

Liliane

Serge KLARSFELD, *Mémorial de la déportation des enfants juifs en France*, *op. cit.*

De temps en temps, comme ça, à cinq heures du matin, elle entrait dans les chambres en tapant dans les mains : « Allez, les enfants ! On part dans la montagne voir le soleil se lever ! » Alors tout le monde se levait, très, très vite. On s'habillait à la hâte. Les plus grands prenaient les petits, et on partait, d'un bon pas, à cinq heures et demie le matin, très haut dans la montagne. Nous, on comprenait pas. Mais après on a compris : c'est parce que ce jour-là la Milice devait venir dans le village, et que les résistants avaient prévenu la directrice d'éloigner les enfants. Comme ça, c'est arrivé quelquefois, on allait voir le soleil se lever dans la montagne.

Suzanne

Le 18 décembre 1942, je suis baptisée catholique en l'église Saint-Sauveur à Figeac. C'est moi-même qui signe au bas du certificat de baptême : Marguerite – c'est un prénom nouveau puisque je m'appelle Margot. Ma mère est présente. Je n'aime pas qu'elle soit là. Je retourne à l'école Jeanne-d'Arc et les religieuses, en me regardant, disent : « C'est un ange. » Je ne suis pas contente, car je ne sens pas les ailes d'ange dans mon dos. J'ai presque sept ans et demi. Quelques jours plus tard, il faut changer d'école, pour des raisons de mort, d'arrachement, de déportation, c'est ce que me dit ma mère et je dois changer de nom de famille : ce n'est plus Cerf, mais Cordier ; je ne crois pas un mot de ce que dit ma mère. Je la crois incapable de me protéger, elle a peur, elle m'abandonne, elle ne me veut plus. Pire encore, elle insiste pour que jamais je ne parle de « ça » sinon « on » va la prendre, la faire mourir, mon père aussi, mon frère avec – « ça » je crois : elle fait tout ça contre moi parce qu'elle a peur pour elle. Je dois donc me taire. Je sais que c'est la guerre, que les méchants Allemands prennent les Juifs, les piquent, les brûlent. Mais moi, je ne suis plus juive, je ne suis pas juive. Je suis catholique, je suis baptisée. Je n'ai rien à voir avec « eux » qui, comme je l'apprends, ont crucifié le bon petit Jésus. À cause de ça, j'éprouve un sentiment de haine contre cette famille que je n'aime plus, et même, je suis prête à les dénoncer aux Allemands, à ceux qui font de l'ordre. Ils sont juifs ! Pas moi...

J'ai écrit plusieurs fois à ma mère... elle ne me répond pas – c'est vraiment une sale femme qui m'a abandonnée. Pourtant, je m'applique en écrivant. Le porte-plume s'incruste contre le majeur, et la plume est dure, dure. L'encre violette a une odeur que je n'aime pas. C'est dur d'écrire, de faire des dessins, de vouloir plaire et de ne jamais recevoir de lettres en retour. Elle ne m'aime pas, voilà tout. Moi non plus, je ne l'aime plus. Petit Jésus, qu'est-ce qu'elle fait ma maman ? et ma grand-mère ? et mon frère ? et mon papa ?

Je devais attendre cinquante-six ans pour apprendre que mes lettres ne lui étaient jamais parvenues...

Tous nos courriers d'enfants cachés étaient lus et relus par Mme B. Nos maladresses d'enfant, un mot de trop, une allusion à un nom de famille ou à un ravitaillement auraient pu nous faire prendre s'ils étaient tombés dans les mains des « méchants ». Lorsque ces lettres jamais envoyées et si bien cachées m'ont été restituées, le 16 juillet 2001, j'ai ressenti un tremblement de tout mon corps ; ces lettres dont j'espérais tant une réponse ne pouvaient en avoir.

Margot

Le pouce ! quel succédané fut-il pour moi ? Il était le seul lien qui me rattachait à toi et je tirais dessus à Dieu vat. Je le voyais immense comme mon amour pour toi. Les adultes me disaient qu'il fondait et que bientôt il n'en resterait pas. Pourtant dans un lit froid sans bras pour m'enlacer, dans cette solitude blanche que sont lits d'hôpitaux et de pensionnats, lui seul me parlait de toi.

Simone

Tous les enfants sont partis pour les vacances. Nous sommes seules au réfectoire, dans le dortoir. Les sœurs essaient de nous consoler, nous offrent des cadeaux.
C'est là que j'apprends que je ne te reverrai plus, ma mère. On ne me le dit pas, mais je le sais. On nous dit que vous êtes partis en déportation, nouveau mot, mais que vous reviendrez ; je ne demande pas d'explication, je sais que ce n'est pas vrai.
Contre l'irrémédiable, que reste-t-il comme défense ? Comment accepter si jeune d'aller de terreur en terreur ? de savoir, ma mère, que tu ne me tiendras plus jamais dans tes bras, que plus jamais ton haleine ne m'effleurera ? Comment admettre que mon sourire s'effacera pour toujours ?

Simone

Les nuits, peuplées de cauchemars, sont toujours trop longues pour les enfants incapables de trouver l'innocence du sommeil. Pour Marina, chaque nuit était un drame qu'il lui fallait vivre en silence. Elle avait peur de la nuit « comme on a peur d'un grand trou noir ». Aussi apprit-elle à résister au sommeil. Elle apprit à se démêler de la nuit.

Madeleine

Les nuits sont dures. Ce qui me manque, c'est que quelqu'un me dise « bonne nuit ». C'est trop demander qu'on me dise seulement « bonne nuit » ? Ce désir d'entendre quelqu'un me dire « bonne nuit » grandit et me submerge chaque soir. Je trouve une ruse. J'appelle chacun des doigts de ma main d'un autre nom : le pouce, c'est Papa, le deuxième doigt, c'est Maman, et tous les autres doigts sont baptisés des noms de mes frères et sœurs. J'embrasse chaque doigt avant de m'endormir et lui dis en murmurant : « Bonne nuit ! » Chaque soir, je discute avec le pouce, je lui pose une foule de questions, lui fais un tas de demandes. Je parle avec le pouce comme si je parlais à Papa, et je m'efforce toujours de l'imaginer. Mais je parviens rarement à retrouver son visage.

Maurice Roth, *L'Enfant coq*, *op. cit.*

M. C. était garagiste, sa femme ancienne cuisinière. Ils nous ont immédiatement adoptées comme leurs propres enfants et nous présentaient toujours comme leurs nièces. C'étaient des gens simples, bons et chaleureux.

Dina

C'est la plus belle histoire d'amour de ma vie. Je suis tombée chez des gens très âgés, M. et Mme Beyrand. Je leur dois d'être là encore aujourd'hui. Ces gens-là ne se sont pas contentés de nous abriter, ce qui aurait été déjà beaucoup. En plus, ils nous ont aimées, aimées beaucoup, au point de nous donner leur nom. Ma sœur s'appelait Jacqueline Beyrand. Et je m'appelais Colette Beyrand. La seule certitude que j'ai, c'est que c'étaient des gens d'amour, de qualité et vraiment des gens extraordinaires. Et vraiment pour moi, c'est ma famille, ce sont mes grands-parents. Leur photo est à portée de ma vue tous les jours. Je leur dois vraiment une immense reconnaissance.

Colette

Nous réalisions qu'une indifférence totale des gens du quartier s'était installée à notre égard. Ils nous avaient vus naître, grandir, peu de personnes nous ont tendu la main dans cette période difficile.

Gaston

Je suis devenue la quatrième enfant Nicolas. Les Nicolas ont accompli ce geste tout naturellement, malgré l'extrême danger que je leur faisais courir, Cusset étant la banlieue de Vichy. Cette époque sinistre marquée par la séparation d'avec mes parents, l'angoisse ambiante, tout ce non-dit de guerre et de mort, a laissé des traces indélébiles au fond de moi, des séquelles impossibles à extirper aujourd'hui encore. Et pourtant, grâce aux Nicolas, j'ai vécu une enfance presque normale et très joyeuse. J'en garde des souvenirs merveilleux. Souvenirs d'une enfance gourmande : les beignets aux pommes de Maman, les framboises du jardin. D'une enfance joueuse : l'apprentissage de la bicyclette, les « bêtises » de mon compagnon de jeux qui à mes yeux représentaient des exploits. Pendant tout ce temps, les Nicolas ont toujours respecté mon identité : ils n'ont jamais prétendu prendre la place de mes parents biologiques. J'avais une photo d'eux dans un grand pot, et de temps en temps, je les contemplais. Je ne sais pas ce qui se passait dans ma tête ;

c'était très mystérieux. De toute façon, je ne posais pas de questions et les Nicolas ne m'en posaient pas non plus. Les choses étaient assez compliquées comme ça. Il fallait vivre, et ne pas trop penser.

Hélène

Cette femme m'a reçu pendant quatre jours, lavant et repassant mon linge, m'offrant à manger, gentiment. Elle était veuve de 1914-1918 ; elle avait un fils prisonnier en Allemagne. C'était une femme admirable. Elle a refusé l'argent. Il y avait une grande cheminée énorme, moi je ne connaissais pas ça, les grandes cheminées énormes. Et cette soupe ! J'ai encore cette odeur, c'était merveilleux. Pendant ces quatre jours, c'était pour moi le rêve. J'ai dormi dans le lit de son fils, l'édredon, la chaleur. C'était formidable. Avant de partir, j'ai mis un billet de mille francs sur le haut de la cheminée. Je n'ai jamais su si elle les avait trouvés ou pas puisqu'elle avait refusé cet argent. Et, en partant, elle m'a donné un casse-croûte, des confitures, des fruits secs…

Maurice

J'ai appris plus tard que cette dame, cette famille qui m'a accueillie, j'allais dire adoptée, c'était une famille qui n'avait pas d'enfants, la dame ne pouvait pas en avoir. Lorsqu'il a été question que je reparte au bout de quelques jours puisque c'était provisoire, elle a dit à sa sœur : « Non, je ne veux pas la laisser partir, nous la gardons. » Et la sœur, l'assistante sociale, lui a dit : « Mais vous savez ce que vous risquez en cachant une Juive à la maison. » Et la dame aurait répondu : « Je préfère mourir en ayant connu la joie d'avoir un enfant que de vivre sans. » Donc ils ont pris tous les risques et c'est ainsi que je suis restée dans cette famille. Il y avait beaucoup de tendresse. J'ai le souvenir d'une punition où on m'avait envoyée au lit et où on m'a réveillée avec des bisous. Lorsque ma mère venait me voir, je lui disais : « Bonjour, madame. » Cela lui a été très difficile. Quand elle repartait, elle pleurait beaucoup.

Liliane

On connaissait nos prénoms, on savait que nous étions des enfants cachés et qui nous cachait, on savait bien sûr aussi que cela était strictement interdit. Et jamais aucun de ces paysans ne nous trahit, jamais, au risque de leur propre vie et de celle de leur famille, aucun ne transgressa la loi d'airain de l'hospitalité des humbles, la grandeur des montagnards, la fierté silencieuse des petits. Tout pauvres qu'ils fussent, sans moyens, sans confort, menant une vie rude et austère, une existence âpre et difficile, ils furent tous, en cela, des seigneurs. Ils avaient l'instinct immémorial de ce que l'on doit faire et de ce que l'on ne doit pas faire.

Olga TARÇALI, *Retour à Erfurt*,

Lettre pastorale écrite par Mgr Saliège,
évêque du diocèse de Toulouse
lue en chaire dans les églises (22 août 1942)

ÉGLISE, OÙ EST TON DEVOIR ?

Il y a une morale chrétienne. Il y a une morale humaine qui impose des devoirs et reconnaît des droits.
Ces devoirs et ces droits tiennent à la nature de l'homme.
Ils viennent de Dieu. On ne peut les violer. Il n'est au pouvoir d'aucun mortel de les supprimer.
Que des enfants, des hommes, des femmes, des pères, des mères, soient traités comme un vil troupeau, que les membres d'une même famille soient séparés les uns des autres, et embarqués pour une destination inconnue, il était réservé à notre temps de voir ce triste spectacle.
Pourquoi le droit d'asile, dans nos églises, n'existe plus ? Pourquoi sommes-nous des vaincus ?
Seigneur, ayez pitié de nous. Notre Dame, priez pour la France. Dans notre diocèse, des scènes d'épouvante ont lieu dans les camps de Noé, et de Récébédou.
Les Juifs sont des hommes, les Juives sont des femmes.
Les étrangers sont des hommes, les étrangères sont des femmes. Tout n'est pas permis contre eux, contre ces hommes, contre ces femmes, contre ces pères et mères de famille.
Ils font partie du genre humain. Ils sont nos frères comme tant d'autres.
Un chrétien ne peut l'oublier.
France, patrie bien-aimée, France qui portes dans la conscience de tous tes enfants la tradition du respect de la personne humaine, France, chevaleresque et généreuse, je n'en doute pas, tu n'es pas responsable de ces horreurs.

Mgr SALIÈGE

Le grenier... jamais je n'y étais montée, c'était un lieu interdit aux élèves ; un escalier raide y grimpait. Devant moi, sœur Anne-Madeleine remontait sa robe pour la protéger de la poussière des marches que nous gravissions tout doucement. Précautionneusement elle a tourné la clef, allumé une lampe bleue et nous sommes entrées dans un bric-à-brac où s'enchevêtraient des chaises cassées, des encriers fêlés, des cuvettes de faïence ébréchées, des cartons de livres, un panier sans anse d'où émergeait un crucifix... et puis au milieu de cet entassement une vieille voiture d'enfant arrivée là d'on ne sait où... C'est vers elle que sœur Anne-Madeleine me frayait un chemin et ce qu'elle me désigna alors m'émerveilla en effet – là, sous la capote, dans le seul endroit un peu douillet de ce grenier, la chatte de l'école venait de mettre bas. Quatre chatons se pelotonnaient contre le chaud de son flanc, aussi enchevêtrés que les objets du grenier, mais tout neufs et doux. La chatte les contemplait avec satisfaction, indifférente à notre visite. Nous sommes restées là un moment en silence, j'étais bien moi aussi et pourtant je commençais à rêver d'autres câlins... Je n'avais rien dit, mais sœur Anne-Madeleine avait l'intuition du cœur, elle mit son bras sur mon épaule et un souffle de tendresse passa des chats à nous...

Marie-Laure

Les souvenirs de la petite enfance ont le goût persistant d'une première fois.
C'était un jour de printemps, en 1944. Des soldats en uniforme vert-Wehrmacht passaient devant nos fenêtres en chantant des musiques martiales. Nous habitions alors au rez-de-chaussée d'un immeuble, au coin de la villa Suzanne à Saint-Mandé, pas très loin du fort de Vincennes. Les bruits cadencés des bottes sur le bitume et les chansons rythmées retentissent encore dans ma mémoire. Les images resurgissent. Je soulève un pan du rideau, fascinée par cette présence à la fois hostile et familière. Mon regard croise celui d'un jeune soldat, puis d'un autre et d'un autre encore. L'un d'eux me fait un signe amical accompagné d'un sourire – il pense peut-être à sa petite sœur ou à son enfant resté en Allemagne. Je réponds en agitant la main et lui envoie un baiser du bout des doigts. Brusquement, mon frère aîné me saisit par le bras m'attirant loin de la fenêtre. Sa réprimande est cinglante : elle fustige ce signe de fraternisation avec les nazis. Ma mère s'approche alors en demandant à Jean de me laisser faire. Une famille juive vivait avec nous, deux enfants et leurs parents : « Il faut

apprendre à faire bonne figure pour ne pas attirer l'attention. Notre vie à tous en dépend. Et, peut-être, maintenant, ce soldat n'osera-t-il plus tirer avec un fusil sur des enfants.» Quatre personnes étaient cachées à la maison. Des inconnus les avaient conduites en pleine nuit. Elles resteront plusieurs mois avec nous. Mon père était au loin, dans je ne sais quelles activités de résistance, mes oncles étaient dans les maquis du Limousin ou internés en Allemagne, mon parrain était déporté à Buchenwald pour avoir organisé des évasions de camps de prisonniers. Il arrivera à s'échapper de Buchenwald et continuera la résistance à Berlin jusqu'à l'arrivée des troupes alliées... Tout cela, nous ne le saurons que plusieurs mois plus tard.
Cette période m'a laissé la sensation prosaïque de la faim: nous partagions quelques gâteaux secs, les lentilles et les rutabagas avec mon frère et les deux enfants – sept personnes vivaient sur les tickets de rationnement prévus pour trois dans le Paris de 1944. Cette période m'a laissé aussi un sentiment diffus de peur: nous répétions chaque jour certains gestes au moindre bruit venu de l'extérieur. Tout était réglé pour disparaître rapidement dans une pièce sans fenêtre dont la porte était dissimulée derrière l'armoire; mon frère me racontera, quelques années plus tard, qu'une carte de France y était accrochée au mur, avec des punaises pour marquer l'avancée des troupes alliées, comme dans une salle d'état-major. Une ultime cachette était prévue sous l'escalier de la cour, dans une sorte d'appentis accessible par une ouverture étroite. Maman y avait installé des couvertures, de l'eau et des provisions au cas où il aurait fallu attendre un certain temps. Nous nous sommes réfugiés plusieurs fois dans ce coin sombre, dont l'atmosphère était étouffante. Nous répétions à voix basse les paroles à prononcer, les réponses aux questions qui auraient pu nous être posées par la police française ou la Gestapo. J'avais quatre ans et demi, mon frère Jean, bientôt dix; les deux autres enfants avaient environ huit et onze ans. Maman craignait une dénonciation ou une descente inopinée de la police, mais il n'y eut aucune délation des voisins ni du concierge, même si ceux-ci avaient manifestement été alertés par les voix et les jeux bruyants des enfants, que les adultes n'arrivaient pas toujours à étouffer. La famille que ma mère hébergeait a partagé notre vie et nous avons partagé ses angoisses. Elle est partie pour rejoindre les États-Unis, peu avant la Libération, avec des papiers d'identité obtenus par des résistants. Nous n'avons plus jamais eu de nouvelles. À plusieurs reprises, Maman en a parlé; elle aurait aimé savoir ce que signifiait ce silence. Elle n'osait penser au pire, à la disparition de ceux qui étaient devenus des amis; elle ne voulait pas non plus croire

à leur oubli. Peut-être cela se passerait-il comme pour ce jeune homme que des amis avaient caché pendant la guerre et qu'ils croisèrent, un jour par hasard, vingt ans après? «On ne fait pas les choses pour la gloire ni pour un remerciement, mais parce qu'on doit les faire, c'est tout. Dans la vie, il ne faut pas avoir trop d'illusions sur l'humanité, mais il faut toujours faire comme si les hommes étaient capables du meilleur.» Ma mère nous a transmis en héritage le goût de la liberté partagée et le sens de la fraternité.

Jacqueline

Lettre aux étoiles

Chère maman Russeau,

Cela sonne tout drôle, généralement le mot maman se suffit à lui-même, il est bien rare qu'il soit suivi d'un nom de famille. C'est pourtant comme cela que Maman et moi nous parlions de toi après la guerre car, à une période où beaucoup d'enfants autour de moi n'avaient pas de maman, j'avais, moi, la chance d'en avoir deux. Cette chance, j'en ai pris conscience très tardivement, et c'est bien là le miracle, ton miracle.

Le hasard m'a conduite à Condé-sur-Huisne, dans ta famille, fin 1941 ou début 1942, petite fille de quatre-cinq ans et, des deux années ou plus que j'ai passées là, jusqu'à l'été 1944, je n'ai que de bons souvenirs, et j'en ai beaucoup. J'ai vraiment l'impression d'avoir vécu dans ma famille, d'avoir été aimée, et parfois réprimandée, comme on l'est dans sa propre famille. À un moment où tous les Juifs vivaient, au mieux, dans l'angoisse, la peur du lendemain, j'ai été entourée d'affection tant par toi que par tes quatre filles: Yvonne qui voulait m'adopter, Raymonde auprès de qui Maman a parfois trouvé refuge et les jumelles, Odette et Georgette, que je considérais comme mes grandes sœurs.

Je suis admirative quand je repense à l'énergie dont tu as dû faire preuve jour après jour pour assumer, pendant ces années de guerre, la responsabilité d'une maisonnée de huit à dix personnes: l'eau à aller chercher au puits dans la cour, à remonter à l'étage, à faire chauffer pour la vaisselle, le bain hebdomadaire dans le grand baquet; les énormes cabas que tu trimballais quand, une fois par semaine, tu rentrais en autocar du marché de Nogent-le-Rotrou; le potager pour compléter ce que ton mari, Georges, rapportait des fermes où il faisait des

travaux de charpentier-couvreur; le ménage, la cuisine... Tu n'avais jamais une minute à toi, même pour manger tu t'asseyais rarement: dans mes souvenirs, je te revois debout, près de la table, ton assiette à la main.
Je ne sais pas si tu avais l'impression de faire quelque chose de particulier en abritant chez toi, parmi d'autres enfants (Guiton, Paulo), une petite fille juive, ou bien si simplement, naturellement, tu pensais continuer ton métier de toujours, ton métier de nourrice, dans des conditions seulement plus difficiles, mais, en aucun cas, tu ne pouvais ignorer le danger que tu encourais en recevant chez toi ma mère, venue se remettre d'une opération chirurgicale, elle dont la présence et l'accent ne passaient certainement pas inaperçus dans un petit village où tout le monde se connaissait.
Après la Libération, je suis retournée vivre à Paris avec ma mère; mon père, lui, n'est pas rentré.
Pendant plusieurs années je suis revenue chez toi pour les vacances comme on va dans sa famille à la campagne, puis en grandissant on se lasse des vacances familiales, je suis venue moins souvent. La dernière fois que je t'ai revue, c'était peu après ton opération, puis tu as disparu, emportée autant par l'épuisement que par le cancer.

Pendant très longtemps j'ai pensé à toi avec une profonde affection, mais sans plus. Ta conduite, comme cette période de ma vie, tout cela me semblait naturel, je pensais avoir eu une enfance comme tout le monde, j'avais passé quelques années à la campagne. Jamais je ne me suis sentie une enfant cachée, je n'ai eu peur que lors des bombardements américains (les bombes tombaient très près), j'ignorais que j'étais juive, je ne sais toujours pas si je portais un autre nom que le mien. C'est seulement depuis une dizaine d'années que j'ai senti que j'avais eu bien de la chance de te rencontrer. Permettre à une petite fille juive de traverser cette période dramatique avec une parfaite insouciance enfantine, c'est le miracle que tu as réalisé grâce à ton courage et à ton grand cœur qui faisaient de toi ce qu'on appelle, en yiddish, « *a mentch* », un être humain au sens le plus noble du terme.
Tu es morte trop tôt pour que je puisse te dire tout cela. Sois-en cependant remerciée aujourd'hui.

Ta toujours petite Monique
Monique

Chapitre 5

Échouage

En apparence, la mer s'est retirée… Vous ne savez pas très bien pourquoi vous gisez sur la plage. Vous n'arrivez pas à savoir si vos pieds ont repris contact avec la douceur du sable, la rondeur des galets ou la blessure des rochers… Vous n'arrivez pas à savoir si vous avez été délicatement déposé sur le rivage par la fantaisie du ressac ou vomi contre la terre par la fureur de la tempête… En apparence, le vent s'est tu… La vie reprend pied sous vos yeux : les flonflons des bals improvisés, des accords d'accordéon, des rires sous les arbres, des baisers furtifs échangés dans les rues… Les bruits de la terre recouvrent les bruits de la mer… Les bruits de la fête submergent soudainement les bruits de la guerre. Mais le crépitement des pétards est parfois si proche de celui des armes…

Sur les murs, sur les affiches, sur les drapeaux, sur les voitures, et sur les uniformes les croix de Lorraine peintes à la hâte sont venues recouvrir les francisques et le souvenir lancinant des croix gammées.

Vous allez devoir apprendre à ne plus vous cacher… Vous allez devoir affronter une nouvelle forme de quête. Depuis quatre ans, votre attente semblait sans objet précis : vous attendiez de pouvoir simplement continuer à attendre. De pouvoir continuer à vivre, de pouvoir continuer à exister. Vous aviez appris à survivre au jour le jour, à résumer dans l'écume de l'instant suspendu le reflux de votre passé, le flux de votre avenir.

Mais quand vous allez chercher à rattraper le temps perdu, à construire enfin l'identité que vous avez dû falsifier depuis si longtemps, quand vous allez chercher pour cela à vous raccrocher, à vous raccorder à vos racines, vous allez découvrir qu'elles ont été détruites. Vous aurez beau guetter le pas du facteur devant la boîte aux lettres, et quelques années plus tard sursauter à chaque sonnerie de téléphone, à chaque coup frappé contre la porte de votre logis… votre attente sera vaine. Dans bien des cas, vos parents, vos grands-parents, vos frères, vos sœurs, vos cousins, vos oncles, vos tantes ne reviendront pas de ce voyage qui vous fut épargné.

Et pour ceux qui vous reviendront, avec leur crâne rasé, avec leur corps décharné, ils traîneront dans leurs yeux trop immenses le souvenir hagard, l'ombre portée, la silhouette anguleuse et brisée de la mort et de son rictus tatoué tout au fond de leur âme et de leurs cauchemars...

Il vous faudra alors tant de temps pour apprendre à ne plus avoir peur de leur peur, pour réapprendre à aimer ceux qui n'avaient pas eu le temps de vous élever à la chaleur de l'aube et du soleil levant, et qui vous rapportaient soudainement sur le quai d'une gare ou dans le hall d'un grand hôtel l'ombre glacée du crépuscule; l'obscure, l'obscène immensité du gouffre insondable de l'inhumanité...

Le 23 juin 1944, on nous conduit à Drancy. La France était libérée en Normandie depuis trois semaines. Nous espérions que nous aurions évité la déportation. Il n'en a rien été. J'ai fait partie de l'avant-dernier convoi, du convoi 76. Il y a eu le convoi 77 où sont partis des enfants d'Izieu. Il y a eu cinq cents enfants qui sont partis du convoi après moi...

Renée

Nous nous retrouvons à Drancy. Là, il y a les files d'attente dans la cour. Ce qui me choque, ce sont ces habitants qui sont là derrière les grilles, ces curieux, ces badauds, des personnes qui pleurent également. Mais personne ne réagit. Nous montons dans les bus sans que personne ne bouge. Nous montons et nous partons vers quelle destination? Nous l'ignorons. Et à un moment donné, le bus fait une embardée, nous sommes projetés les uns sur les autres. Pourquoi? Parce que le conducteur nous dit à voix haute, il parle tout seul en fait: «Pour un peu, j'aurais écrasé ce chien.» Et dans ma tête, ça se passe très mal. Je me dis: «Comment? Il transporte à longueur de journée... il fait ce travail macabre de conduire des êtres humains, des hommes, des femmes, des enfants... Combien d'enfants? Je suis partie avec des enfants d'Izieu. Combien de personnes transporte-t-il par jour? Et il s'inquiète de ne pas écraser un chien. Alors que sommes-nous, nous, par rapport à une population qui ne réagit pas?» Je supporte très mal cette situation.

Renée

La guerre était partout. Dans les bruits de bottes, aussi bien que sur la tenue de la mariée qui sortait de l'église, auréolée du vaporeux voile blanc et vêtue de la longue robe, hâtivement teinte en noir, sinistre témoignage de son deuil douloureux et de l'imbécillité humaine qui venait de faire mourir sans raison un père ou un frère.
Mais il y avait aussi les baignades du dimanche au bord de la Seine où nous nous amusions à attraper les libellules, et faisions des traversées en barque, laissant traîner les mains dans l'eau et tentant d'attraper un poisson qui s'égarait trop près de la surface. Le plaisir des journées ensoleillées, le doux clapotis de l'eau sous les rames, les fraîches senteurs de la campagne, le ciel d'un bleu radieux, les rires sous les éclaboussures que nous provoquions nous faisaient comme des parenthèses de bonheur.
Et puis, un jour, la Libération est arrivée. Plus de soldats allemands. Plus de bombes. On a crié, dansé, pleuré. La folie. La ville s'est remplie de soldats américains et de jeunes femmes tondues, la tête serrée dans un foulard aux pointes attachées au-dessus du front.

Rachel

On a vu arriver les soldats américains, les Yankees, qui amenaient avec eux leur chewing-gum, leur corned-beef et leur be-bop. Et bien sûr qu'on a dansé. Il n'y avait pas de joie plus grande au monde que celle des Juifs et des enfants.

Gabrielle

Dans Bordeaux, il en sortait de partout, de ces brassards tricolores! Résistants de la dernière heure et collabos de la première. Tous clandestins, tous héros de l'ombre. Une ombre si épaisse que personne ne les y avait jamais vus à l'œuvre. Les brassards s'étaient multipliés dans la nuit. C'était à se demander comment les Allemands avaient pu survivre sans être étouffés par tant de héros, et comment on avait pu déporter tant de monde sans que tous les trains sautent dans toutes les gares.

Yves

C'est la Libération! J'entends les clameurs venant de la rue, les gens rient et font beaucoup de bruit, c'est maintenant une autre vie qui semble si gaie et insouciante. Bien sûr, ils sont partis, ils ne reviendront plus, mais le mal est fait, il me ronge. Dans la foule en liesse,

Angèle pleure beaucoup : on a rasé les beaux cheveux de sa maman, elle me fait peur ainsi ; les gens l'insultent et se moquent d'elle, j'ai pitié et je pleure aussi ; malgré tout, c'est chez elle que je me suis réfugiée, elle m'a acceptée…

Renée

Le jour de la Libération de Lyon, Christian était assis en face de moi, en kaki avec un brassard FFI. Je lui dis : « Tiens, t'as changé d'uniforme ! » Parce que la veille, je l'avais vu en bleu, avec le béret, l'uniforme de milicien. Là, il était en kaki, il avait une blessure à la main et il était devenu FFI dans la nuit, je ne sais pas comment. Toujours est-il que ces gens-là ne nous ont jamais dénoncés…

Georges

J'ai peur de retrouver Paris et sa tour Eiffel, les Champs-Élysées, la place de l'Étoile, la Seine et ses quais, la foule, la vie… les miens… Il me semble que j'ai peur de tout, des vélos, des motos, des automobiles, de cet avion qui m'emmène vers ce second enfer, celui de ma survie…

Sylvie

Les Américains sont arrivés. On a vu les Allemands qui fuyaient. Nous étions ravis bien sûr, ils partaient sous les huées des paysans. Les Américains ont continué à avancer ; ils se sont installés dans la région ; ils ont campé dans les champs ; ils ont été reçus en libérateurs. Ça a été quelque chose d'extraordinaire. C'était la liesse. Et puis on a vu aussi des femmes qui avaient collaboré avec les Allemands se faire tondre sur la place publique, se faire huer, promenées torse nu dans la rue avec une croix gammée dessinée sur la poitrine. Il était effrayant de voir comment les gens pouvaient faire volte-face, d'apercevoir simultanément leur bon et leur mauvais côté. Ils pouvaient être à la fois extraordinaires et monstrueux. Et nous, pendant ce temps-là, on ne voyait qu'une chose, c'est qu'on allait rentrer à Paris, reprendre notre petite vie normale, et retrouver nos parents. Tout ça ferait partie d'un cauchemar qu'on finirait par oublier.

Hélène

Nous avons vécu la Libération dans ce village, et c'était épique car effectivement la moitié du village était collaborateur, et l'autre moitié résistant et il y a eu des règlements de comptes sanglants. Il y a eu immédiatement des poursuites en voiture de certaines personnes du village qui ont mitraillé celles qui étaient considérées comme collaborateurs. Et c'était quand même très dur parce que c'était des personnes que nous côtoyions journellement, et on les a vues mortes sur le bord de la route; on a vu ce village tout petit et qui paraissait si paisible tout d'un coup devenir sanguinaire. Dans un sens, on trouvait que c'était très bien parce que ces gens avaient fait du mal, mais c'était très choquant de voir que c'était par la mort que ça se traduisait. Moi je ne savais pas encore que ma famille était morte. Je pensais que j'allais la retrouver après la Libération, que nous allions rentrer à Paris et que tout le monde serait libéré. Donc je me trouvais confrontée à la mort à ce moment-là et j'ai trouvé ça terrible. Un village de trois cents habitants, avec une moitié qui a tué l'autre moitié, c'était vraiment épouvantable.

Rosette

À la Libération, les gens dansaient dans les rues. Ma mère m'avait offert une splendide robe de mousseline rose imprimée de fleurs tout à fait incongrue dans ma situation. Inconsciemment, je savais que j'avais perdu mon père et mon frère pour toujours, je n'avais envie ni de rire ni de chanter.

Caroline

On était tous des petits vieux... On ne savait pas ce que c'était, l'insouciance. Par contre, on chantait, on dansait.

Toni

Cette gamine était d'une famille d'origine alsacienne. Ils habitaient dans la même cité ouvrière que nous. Ces Alsaciens avaient des cousins qui avaient été enrôlés dans l'armée allemande et qui sont venus les voir pendant la guerre avec leur uniforme. À la Libération – cette fille avait deux grandes sœurs qui avaient peut-être entre dix-huit et vingt ans –, les beaux résistants qu'on a vus, ceux de la vingt-cinquième heure, sont venus, ont arrêté les deux gamines, les ont traînées jusqu'à Épinay-sur-Seine sur la place de l'église, les ont fait monter sur une estrade, leur ont rasé la tête, leur ont dessiné des croix gammées et les ont fait défiler. Et la petite, la sœur, était avec nous. C'est vraiment un souvenir horrible que j'ai gardé toute ma vie.

Charlotte

Pour moi, la Libération fut un enfer ; je me sens un tout petit peu coupable, vis-à-vis de tous ces gens qui ont été si traumatisés de ne pas retrouver leurs parents. J'ai quitté un milieu où j'avais été complètement adoptée et aimée. Je suis tombée dans ma famille, où l'angoisse aidant, mon père et ma mère n'arrêtaient pas de se déchirer. C'était l'horreur pour moi qui venait d'un milieu calme, paisible et serein. J'ai découvert ce que pouvait être le monde des adultes lorsqu'ils ne s'entendent pas.

Liliane

Un jour, je reviens de l'école et les gens me disent : « Mado, viens vite, devine qui est là. » Et moi je dis : « C'est ma maman ! » « Non, ça n'est pas ta maman, viens voir. » C'était un homme maigre, rabougri, complètement... Il sortait de camp. C'était mon père. Et moi j'ai eu un véritable dégoût pour cet homme. Mon père c'était tout autre chose, c'était un homme fort. Cette blessure, je ne m'en suis jamais remise. Mon père sanglotait parce qu'il était heureux... Plus il sanglotait, plus j'étais dégoûtée...

Larissa

Un dimanche matin, on sonne à la porte. C'était ma tante... Et j'ai entendu dire : « La mère de Louise est revenue. » Alors ma sœur adoptive a commencé à danser parce qu'elle était contente pour moi. Je me suis mise à pleurer parce que je voyais tout mon avenir s'écrouler ; je devais quitter ma famille d'accueil. Ma sœur adoptive pensait que ma mère était revenue, que c'était bien pour moi, mais elle n'a pas pensé que j'allais la quitter aussi.
Le même jour, nous sommes allées chez une autre tante. Ma mère était là et je me suis dit : « C'est qui ? » Et ma mère a pleuré. Je pensais : « Elle est émue, ça doit être elle. » Et j'ai été obligée de l'embrasser alors que je ne la reconnaissais plus. Ensuite, elle est venue vivre avec nous pendant deux semaines. Je l'observais. Elle n'avait pas mangé pendant des années ; elle ne se conduisait pas comme tout le monde ;

elle mangeait comme quelqu'un qui a toujours faim. Elle se jetait sur son assiette. Tout le monde la regardait...

Louise

C'est dans ce pensionnat que je revois mon père pour la première fois. Il est rentré d'une déportation de plusieurs longs mois sur une civière, ne pesant que quarante kilos. Des retrouvailles dans un parloir noir : nous étions empruntées, ne sachant que dire. Nous apprenons ce que nous pressentions, Maman n'est pas revenue, partie on ne sait où, en fumée dans l'azur, et, peu à peu, mon père se met à raconter : Paris, Vél'd'Hiv, Drancy, le train, le convoi, la chambre à gaz, les fours crématoires, la fumée âcre…
À partir de ce jour, après cette descente aux enfers, j'ai tout fait pour ne plus l'écouter. Pourtant il avait besoin de parler. Mais ciel ! je ne pouvais devenir sa mère, moi qui en manquais. La sélection, la sélection surtout le hantait. Debout dès le petit matin, des heures durant par tous les temps, sans vêtements, sans manger, on en tuait tous les jours je ne sais combien, on lâchait les chiens. Et les tentatives d'évasion, pendu trois fois, les expérimentations, le typhus, la stérilisation… Arrête, mon père, je veux vivre, je ne veux rien avoir à faire avec ça. Ou je t'écoute et sombre encore une fois, ou je regarde le ciel et tente de vivre ; je pars loin, loin, dans les galaxies où, je l'espère, personne ne me retrouvera. Oh que les corps sont lourds, que la pesanteur nous écrase ! Le rêve éveillé, il n'y a que ça. Partir loin, là-bas, dans la galaxie d'Andromède, il y aura bien au centre un trou noir où tout est inversé… C'est peut-être le paradis, les humains ne sont plus fous, ils s'aiment, tout est fleuri ; les luths, les harpes chantent et accompagnent ma voix. Je ne fais plus de couacs. Une berceuse endort les enfants.

Simone

Août 1944 ! La Libération ! L'émotion me rend aphone. Le coin de ma rue donnait rue de Rivoli. J'ai vu passer des chars, j'ai vu le général de Gaulle, j'ai entendu des coups de feu provenant des toits ; j'ai vu des gens heureux, j'ai vu courir des femmes, des hommes et après une accalmie je me suis rendue place de l'Hôtel-de-Ville. La foule était assise par terre et écoutait sonner les cloches, mais dans ma tête et malgré ma joie, un sentiment de détresse m'envahissait. Bien sûr, j'avais frôlé le pire, j'étais une rescapée mais je ne me sentais pas encore orpheline. J'étais persuadée que je reverrais les miens. Je ne

pouvais pas imaginer l'inimaginable. J'allais le samedi soir à la gare de l'Est attendre les trains ramenant des prisonniers de guerre et même des déportés !
Un soir, j'ai aperçu un jeune déporté reconnaissable à sa tenue.
Je me suis approchée de lui, et je lui ai demandé innocemment s'il n'avait pas connu un membre de ma famille du nom de C. Il me regarde, éclate de rire, tant ma question lui paraît stupide et me répond : « Comment voulez-vous, il y avait tant de monde ! » puis le voilà pris d'un fou rire. Je me suis sauvée en courant. J'entends encore son rire aujourd'hui comme si c'était hier.

Rywka

La directrice tenta de m'expliquer que peut-être je ne reverrais plus ma mère, en évitant les mots définitifs, en laissant filtrer quelque lueur d'espoir, puis en revenant rapidement sur le « mais sois courageuse, Dieu t'aidera et n'abandonnera pas ta maman ». Je ne sais ce que Papa lui avait vraiment dit, mais le message me laissait dans le doute. Peut-être était-ce moi qui ne voulais pas entendre. J'ai regagné la cour de récréation en me disant que j'aurais dû pleurer ! Qu'il fallait que je pleure ! Mes yeux étaient secs, ma tête saturée. Je me laissai glisser dans l'encoignure d'une porte. Alors que recroquevillée je baissais la tête, une pensée insensée me traversa l'esprit : « Si c'est pour ne plus reconnaître Maman, il vaut mieux qu'elle ne revienne plus ! » Dire « Papa » à ce monsieur avait sans aucun doute été traumatisant, mais l'était plus encore toute la tragédie qu'il incarnait et qu'il me rappelait : celle d'une famille si harmonieuse, si chaleureuse, à jamais disloquée, fracassée...

Françoise

Tout le monde avait quelqu'un qui venait lui dire : « Voilà, je sais que tu es là, tes parents, je ne les ai pas vus, mais nous, on est là. S'il y a quelque chose, on est là. » Et nous, personne. Le temps passe et personne, toujours personne. Et le centre d'enfants commence à se vider. Le temps passe, les gens commencent à s'installer, récupèrent leurs enfants. Il y avait de moins en moins d'enfants et nous, on était toujours là, personne n'était venu nous réclamer.

Hélène

Quand Maman est rentrée à Paris, qu'elle est revenue et qu'elle m'a revue, je ne voulais pas aller avec elle. Je l'ai traitée de vieille sorcière. Ça se passait dans la rue des Francs-Bourgeois, à l'angle de l'hospice Saint-Gervais. Moi j'étais en patinette avec ma cousine et quand elle, elle est arrivée de la rue Vieille-du-Temple, qu'elle m'a vue, elle a commencé à crier : « Arlette, Arlette, Arlette ! » J'ai vu une femme qui portait une robe noire à pois blancs, je m'en souviendrai jusqu'au moment où on me fermera les yeux, avec un foulard noir sur la tête, puisque évidemment elle avait été rasée donc elle n'avait pas de cheveux. Et comme en 1945, j'avais presque sept ans, on venait de me lire *Blanche-Neige* deux ou trois fois. Et pour moi, ma mère, c'était l'affreuse sorcière de *Blanche-Neige*. Et je n'ai pas voulu aller avec elle. Plus elle me prenait dans ses bras, plus je tambourinais. Je disais : « Non, non, ma mère est en Italie. » On m'avait dit de dire qu'elle était en Italie. Heureusement qu'il y avait ma cousine, qui, elle, savait. Alors elle a tout de suite cru que c'était Maman. Mais moi je ne voulais pas, je disais : « Lâchez-moi, vous n'êtes qu'une vieille sorcière. » Et j'avoue que j'ai été très méchante avec elle ce jour-là. Avec les années, j'ai quand même essayé de me faire pardonner. J'ai quand même tout fait pour lui faire oublier cet affront que je lui ai fait quand elle est rentrée. La pauvre, elle était squelettique, avec une robe qui était trois fois trop grande pour elle, le foulard sur la tête. Elle avait tout vraiment… Que Dieu ait son âme. Elle avait tout d'une personne venant d'un autre monde.

Arlette

C'était mon père, j'avais retrouvé mon père ! L'après-midi, il nous a emmenées, ma petite cousine et moi, au mont Valérien… Et ma petite cousine s'est mise à pleurer : elle a réalisé que ça n'était pas son père. Moi, j'avais mon père. Le surlendemain, un télégramme est arrivé, nous annonçant l'arrivée de ma mère. Elle est arrivée le 10 mai 1945, deux jours après mon père. Il y avait du monde, on mangeait dehors et je vois une espèce d'ombre qui avançait tout doucement. C'était ma mère. Et là, je me suis précipitée dans ses bras en criant : « Maman, Maman ! »

Irène

Maman, prévenue de notre retour, nous attend depuis de longues heures. Elle est toute seule !
Quelle joie de la retrouver ! Nous voulons parler en même temps et Maman ne veut pas nous répondre, elle se contente de nous serrer bien fort dans ses bras. C'est tellement puissant comme sentiment qu'il n'est pas possible de l'exprimer, seuls un long silence, des regards complices et des larmes traduisent notre bonheur empreint d'incertitudes.

Marcel

En 1945, on allait attendre les déportés devant l'hôtel Lutetia, à Paris. Je n'ai jamais rien connu de pire que ces attentes. La mort devenait tangible. C'est depuis ce temps-là que toute attente m'angoisse, tout retard… Quand on avait attendu des heures, des jours, des mois, on savait que ce n'était plus la peine, à moins d'un miracle… À l'école, je vivais dans un autre monde. Je n'étais pas vraiment là, je n'étais pas comme les autres. J'étais dans le monde des morts ; j'avais du mal à rire, à jouer ; je ne parlais à personne… À dix ans, j'étais vieille, adulte déjà d'une certaine façon – j'avais vécu trop de choses… Les professeurs se posaient des questions, on convoquait ma mère…

Marie

Au Lutetia, il y avait une grande salle où il y avait des tables où on faisait manger les déportés, on leur servait un repas après les avoir épouillés, passés à l'étuve. Pour une gamine de quinze ans, voir des hommes nus, des squelettes ambulants défiler, c'est traumatisant. On allait prendre le micro pour appeler Maman au moment où on l'a aperçue à une table en train de manger.
On a hurlé tous les deux : « Maman ! » Toute la salle a levé les yeux et Maman a reconnu nos voix et elle cherchait partout d'où ça venait. Je la vois encore lever ses grands yeux bleus. Elle ne nous a pas vus. Elle tournait partout. Ils ne réalisaient pas, tous ces pauvres squelettes qui arrivaient. Et elle était pétrifiée, Maman ; elle avait entendu nos voix sans nous voir. On a descendu en quatrième vitesse l'escalier, je crois que toute la salle pleurait quand ils ont vu… parce qu'on était les seuls enfants à pouvoir approcher nos parents qui rentraient. On la tirait pour qu'elle vienne avec nous, on avait tellement peur de la reperdre. Elle ne voulait pas laisser son assiette : « Attendez, je vais finir de manger, je viens avec vous. – Mais, Maman, viens, tu mangeras à la

maison. » Elle ne voulait pas laisser son assiette et on l'embrassait, on la tenait… On a perturbé tous ces pauvres gens qui étaient déjà tellement tristes. Je pense qu'on leur a donné l'espoir qu'ils avaient peut-être aussi de retrouver les leurs à ce moment-là. Elle pesait trente-huit kilos, c'était pourtant une femme qui était grande, forte, mais elle était belle, elle était superbe. Et on l'a enlevée, on l'a tirée, on a repris un taxi, on la tenait comme si c'était le Messie.

Betty

Nous sommes tous les cinq totalement pétrifiés. C'est par un immense cri de désespoir que je romps ce silence. « C'est faux, vous êtes un menteur, mon papa est toujours vivant. » Je me précipite sur lui pour le taper. C'est tellement injuste ce qu'il dit. Maman m'empêche de faire une bêtise, laissant le monsieur lui dire de passer à la mairie pour régulariser la situation, avant d'ouvrir la porte pour qu'il s'éloigne en vitesse. Faut qu'il s'en aille, car j'ai une envie folle de le tuer, cet oiseau de mauvais augure ! Nous restons là, seuls avec notre chagrin infini… Papa, où es tu à présent ? Le monsieur de la mairie nous a laissé le document officiel. Jean reprend le texte et s'étonne que le décès remonte à quatre longues années et que nous n'en ayons jamais rien su. Nous avons vécu quatre ans dans l'espoir de son retour et ce n'était qu'illusion !

Marcel

Que vais-je devenir sans toi, ma mère ? Comment ferai-je pour devenir grande, moi qui n'ai pas eu d'enfance ? Comment tenir plus tard un enfant dans mes bras si je ne peux t'imiter… ? Il me faudra tout inventer.

Simone

Ma seconde mère et son mari m'ont élevée comme leur enfant, avec amour. Ils m'ont choyée comme le garçon de quinze mois qu'ils avaient eu bien des années auparavant, qui était décédé d'une méningite et que je remplaçais bien involontairement.
Je n'ai jamais manqué ni de l'essentiel ni du superflu, marché noir aidant : le bois de chauffage s'échangeait contre lait, beurre, cadeaux, que je m'empressais de tirer d'une valise ramenée d'une virée en campagne. J'étais leur « petite », « la petite », comme ils m'appelaient.

Ce furent trois années de bonheur parfait pour nous trois, trois années d'insouciance pour moi si jeune, au milieu de la tourmente, d'angoisses et de courage pour eux.

Mes parents sont revenus du pire en avril 1945, deux rescapés parmi les cent soixante-sept survivants du convoi 76. Ils sont arrivés l'un et l'autre avec une semaine d'écart. Quand ma mère a sonné à la porte d'entrée, j'ai eu très peur, pourtant avertie de sa venue, mais sans comprendre que j'allais être arrachée à ma « mère » ; son fort accent russe me terrorisait. Une semaine plus tard, mon père a franchi la porte de l'appartement avec une valise. Aussitôt j'ai voulu l'ouvrir pour les cadeaux que dans mon esprit elle devait contenir. Quelle déception ! La vie a donc continué à être douce boulevard Malesherbes, pendant quelques mois encore. Petit à petit on a essayé de m'habituer à l'idée d'une seconde mère, d'un second père. Mais tant que la séparation n'a pas été effective, je ne réalisais rien de la souffrance qui m'attendait, de la souffrance qui attendait mes deux parents adoptifs. En septembre 1945, « maman Gaby » commença à préparer ma valise pour mon départ aux États-Unis avec mes parents, où nous devions aller passer quelques mois de vacances chez un des frères de mon père. Ma valise une fois prête, je récupérai toutes mes affaires, pensant qu'en les cachant sous le lit j'allais échapper à cette séparation, à cet enlèvement. Mais rien n'y fit, bien sûr. Au lieu de quelques mois nous restâmes trois ans. Trois années qui furent vécues par Gaby et Alphonse comme le deuil de « moi », leur enfant auquel s'est ajouté pour Gaby le deuil de son mari Alphonse. Dans son dernier souffle de vie, il a chuchoté « petite » et s'est éteint, quelle preuve d'amour !...

Viviane

Je n'ai jamais compris à quel point ma mère adoptive m'aimait... Elle aurait voulu ne pas me lâcher. Elle l'a fait bien sûr; il était normal qu'elle me rende à ma mère légitime. Mais elle a tellement souffert; et je ne l'ai jamais su. Je ne le sais que depuis sa disparition. Il y a eu une éternelle jalousie entre les deux mères qui m'aimaient...

Louise

Un jour, j'avais treize ans, et ma mère m'a dit qu'elle allait se remarier. Je l'ai vécu comme une trahison. Ça voulait dire qu'elle ne croyait plus que mon père allait revenir. Et là aussi j'ai fait des cauchemars. On parlait beaucoup de gens qui étaient en Russie, et je me disais que mon père allait revenir, que ma mère allait se retrouver bigame… J'ai fait ce cauchemar pendant des mois et des mois.

Micheline

Lou… Mon prénom fait penser à la belle Niçoise de Guillaume Apollinaire, qui était comme moi d'origine polonaise… Avant la guerre on m'appelait Lucienne, ma petite sœur Carole s'appelait Clara, mon grand frère Marcel, né en 1935, s'appelait Jacques… Pendant l'été 1942, mes parents avaient trente-cinq ans, j'en avais six. J'habitais rue des Écouffes, dans ce quartier du 4e arrondissement parisien où habitaient les Juifs originaires de Pologne, et où tout le monde parlait yiddish… Mon père était peintre en bâtiment; ma mère brocanteuse… La vie n'était pas facile. Juste avant la guerre, mon père s'était engagé dans la Légion, puis il avait été réformé, interné à Pithiviers comme Juif avant de s'évader et de se cacher en zone libre. Au moment des grandes rafles, ma mère avait essayé de passer avec moi la ligne de démarcation; en vain… Elle a finalement décidé de me confier à l'UGIF. Le 5 août 1942, je me suis donc retrouvée séparée de ma mère, avec mon frère et ma sœur à l'asile de la rue Lamarck, dans le 18e arrondissement… De temps en temps, les policiers français venaient arrêter les parents qui venaient voir leurs enfants. Alors les mères se cachaient sous les tables ou dans les armoires, et leurs enfants devaient faire semblant de les ignorer… D'autres enfants venus de Drancy ou de Beaune-la-Rolande importèrent des poux dans l'établissement. Il fallut donc nous raser la tête… Et nous eûmes à supporter cette nouvelle infamie qui vint se rajouter à celle du port de l'étoile cousue sur la poitrine… En janvier 1943, alors que mon frère avait été hospitalisé puis transféré dans une autre maison de l'UGIF, ma grand-mère réussit à me faire sortir de l'asile… Ma mère avait rejoint mon père à Lyon. Elle me pensait en sécurité… Un réseau communiste réussit à me cacher à Dourdan, en Seine-et-Oise, avec les cinq enfants de la famille Beunard… Le père était communiste et travaillait à la perception. La mère était catholique et travaillait à la maison. Ils me donnèrent une éducation chrétienne. Les restrictions alimentaires étaient terribles. Nous vivions pauvrement, à la limite de la survie… Il y avait des moments de grande solitude et de grande détresse. La maman Beunard n'avait pas beaucoup le temps de m'aimer, de me cajoler, de parler avec moi. J'étais devenue une petite fille très pieuse, qui priait pour que ses parents ne soient pas juifs, pour qu'ils aient droit d'aller au Paradis, s'il leur arrivait quelque chose. La maison des Beunard jouxtait la Kommandantur. De temps en temps, je voyais passer des résistants menottés, ou des SS qui sortaient faire leur gymnastique en plein air dans le grand parc de Dourdan. Avec leurs costumes noirs, leurs bottes de cuir, les têtes de mort sur leurs casquettes, ils m'impressionnaient beaucoup...

En juillet et en août 1944, mon père puis ma mère furent arrêtés par la milice lyonnaise. Le premier mourut à Auschwitz. La seconde fut libérée du camp de Bergen-Belsen par les Anglais en août 1945. Alors que Dourdan fêtait sa libération, l'Assistance publique me plaça avec ma sœur dans une famille «nourricière» qui habitait l'Yonne. Paradoxalement, nous eûmes à vivre là les moments les plus effroyables de notre existence. La promiscuité et la saleté de cette famille dépassaient l'entendement. Nous étions couvertes de vermine. Nous vivions comme des bêtes. Le «père» était tout le temps soûl, et faisait dans son pantalon. La «mère» avait les jambes couvertes d'ulcères; elle gardait d'autres enfants. Le fils de la famille était un grand malade mental, complètement dégénéré. Nous dormions tous dans le même lit... Et puis à ce moment-là est intervenu un miracle; on est venu nous annoncer que notre mère était rentrée. C'était le bonheur absolu. On nous a même dit qu'elle était arrivée... par avion. Alors j'ai levé les yeux au ciel. J'ai regardé ce ciel que j'avais vu pendant toute la guerre sillonné d'avions meurtriers. Les derniers mois, les dernières semaines, je ne sortais plus de la cave. Mon école avait été bombardée. Pour moi, les avions étaient porteurs de bombes et de mort. Et là, exceptionnellement, je regardais le ciel avec ces avions qui me semblaient enfin porteurs d'espoir. Ma mère était rentrée.
Très vite, nous sommes revenues à Paris. Et là, notre tante, cette tante qui n'avait jamais eu d'enfants, qui était toute maladroite, mais qui ressemblait tellement à notre mère, cette tante à laquelle nous nous sommes toujours accrochées nous a amenées à la Salpêtrière...
Sans aucun préambule, sans aucune explication, sans aucun égard pour les enfants que nous étions. Même si nous avions été adultes, nous n'aurions pas pu supporter ce spectacle. J'ai ressenti le plus grand traumatisme qu'on puisse avoir. J'avais neuf ans. Ma sœur en avait sept. Dans cette espèce de mouroir, il y avait des rangées de lits pratiquement serrés les uns contre les autres. Et dans ces lits des femmes qui étaient comme des cadavres. Et tout à coup, on nous a arrêtées devant un lit. Un cadavre de plus. C'était celui de notre mère, qui nous

regardait à peine, puisqu'elle était pratiquement aveugle ; elle n'avait pas de cheveux, pas de dents. Son crâne était encore ouvert ; elle avait reçu un coup de matraque SS juste avant la libération du camp. Elle était pourtant soignée depuis deux mois. Elle avait déjà été opérée... Mais elle était encore dans un état de dégradation innommable. Nous nous sommes enfuies, ma sœur et moi, accrochées à notre tante. Et nous avons voulu oublier ; nous avons oublié. Je n'ai plus attendu mon père, parce que je n'attendais plus rien à partir de cette minute. Je n'ai plus rien attendu que de moi, essayant de reconstruire ma vie par mes propres moyens. J'ai tourné le dos une fois pour toutes à ce passé qui, de toute façon, ne pouvait plus rien m'apporter. Et j'ai été transférée dans un grand centre de l'Assistance publique. Là encore, c'était affreux. C'était vraiment l'anonymat. Je vivais comme une prisonnière... Je n'avais plus de sensibilité, plus d'âme, plus rien. Je ne pensais même plus. Je croyais qu'on m'avait anesthésiée. Et puis j'ai été reprise en main par les organismes juifs qui m'ont mise à l'OSE. Là a enfin commencé une période de bonheur. Je vivais au château de Courbeville, une espèce de grand château, avec très peu de confort mais beaucoup de bonheur... On m'apprenait à peindre d'une façon libérée, avec toute l'expression créative et artistique possible. Des grandes fresques murales avec des couleurs vives, inspirées du fauvisme. Le mime Marceau nous apprenait à vivre avec notre corps. La vie était très simple ; il n'y avait pas d'eau courante, pas de douches. On nous « louchait », avec des grandes louches, avec de l'eau chaude qui était dans des grandes bassines. Mais pour nous c'était le bonheur absolu.

Ma mère est venue me voir très vite. Entre-temps, elle avait été soignée. Ses cheveux avaient repoussé, elle avait repris un poids normal. Elle est venue me voir, mais je n'ai pas gardé un bon souvenir de sa visite, qui m'a semblé plutôt inopportune, parce que j'étais un peu gênée vis-à-vis des autres enfants d'avoir encore une mère. C'était la seule visite de mère que j'avais vue.
Elle s'est assise à table avec moi dans le réfectoire. Elle a mangé, j'ai mangé ; je ne me souviens pas d'avoir échangé des mots. Je ne me souviens d'aucun dialogue, d'aucune communication. Sauf qu'à la fin du repas, j'ai vu qu'elle ramassait toutes les miettes avec son doigt qu'elle avait préalablement humecté. J'étais très offusquée, parce que les enfants ont cette sensibilité de ne pas supporter que les parents ne se conduisent pas d'une façon tout à fait rigoureuse. Et j'ai souhaité qu'elle s'en aille assez vite, ce qu'elle a fait d'ailleurs.

Et après, je l'ai revue bien sûr ; j'ai réappris à l'aimer, mais ça a été lent. Et malheureusement, je n'y suis vraiment parvenue qu'après sa mort. J'ai pris conscience alors de ses qualités exceptionnelles, mais aussi de la difficulté que l'on peut avoir à renouer des liens soudainement interrompus. Mon père n'est jamais revenu. Je ne sais pas exactement quand j'ai compris qu'il ne reviendrait pas.

Lou

Quand nous sommes revenus, ma mère a eu énormément de mal à récupérer le petit logement d'une pièce-cuisine que nous avions. Parce qu'il y avait des gens installés là. Ça a duré pas mal de temps. On mangeait à la soupe populaire, avenue Secrétan, en haut des Buttes-Chaumont.

Simon

En septembre 1944, de retour à Paris, nous avons récupéré de justesse l'appartement.
Il y avait déjà un repreneur sur la brèche… L'appartement était vide : plus de vêtements, de meubles, etc., pas même une serrure. C'était ainsi dans les appartements juifs… C'était l'œuvre de la police… et parfois aussi des voisins.

Marie

Nous sommes rentrés, on était tous les trois, tous les quatre, ma mère et ses trois enfants, dans un appartement absolument vide. Les planches des placards avaient été retirées, les fils électriques arrachés, aucun meuble. Alors, de temps en temps, ma mère retrouvait un ustensile de cuisine chez la concierge qui lui disait : « Oh, je l'ai pris comme ça, je peux vous le rendre maintenant. »

Henriette

Lettre aux étoiles

Mes chères étoiles,
À chaque instant je pense à vous et pourtant je me suis tue pendant soixante ans. Soixante ans déjà…
Je vais continuer de passer sous silence le 16 juillet 1942, l'abandon de

mon père vers une destination inconnue, le bruit de mes pas sur les trottoirs de Paris, les trains bondés, les passeurs véreux, la ligne de démarcation, le bruit des bottes.
Permettez-moi de taire aussi l'arrestation de ma mère, en août 1942, à Lyon ; mes sanglots étouffés sous un porche, abandonnée ; l'évasion de ma mère, ses bras retrouvés… Enfin, fuir ensemble, fuite infernale vers une hypothétique survie…

Vous savez, j'aurais dû être parmi vous… Mais la mort n'avait pas voulu de moi… Pourquoi ?

Dans la tourmente, j'avais perdu mon nom et par la même occasion celui qui me l'avait donné. Enfant de personne, car « Maman » s'appelait dorénavant « Mammy ». Une mère soldée en somme, c'était mieux que rien…

Que le temps passe ! En janvier 1943, j'étais alors une fillette de neuf ans, lors de mon arrivée à Méaudre, petit village du Vercors emmitouflé sous la neige. La nature était si belle ! Les forêts de sapins, les champs recouverts d'un manteau de velours étincelant au soleil et d'une fragile haleine exhalée. La neige se taisait aussi, ensevelissant mes pas et mon passé, comme respectueuse… Je la caressais de mes mains, elle s'égouttait dans le creux de mes paumes… Je m'y abandonnais, elle gardait l'empreinte de mon corps. Je ne tairai jamais assez l'émotion douloureuse de ce premier rendez-vous…

« C'est chez vous ! » dit Mme G… Mme G. ! Elle me paraissait énorme, affublée d'un derrière gros comme une montagne… À chaque pas, il se balançait comme un carillon silencieux. J'étais fascinée…
C'était chez nous… Une maisonnette attenante à la ferme. Mais après… Vous savez bien qu'être juive était alors une maladie incurable, qui, inexorablement, devait m'emporter. Mais très vite, la peur du quotidien s'estompait… Cependant, la vraie peur, attachée au son de ma voix, se tenait là, tout au fond de moi. J'avais pris l'habitude de me taire et de me fondre dans cette nature : nature complice où même mon ombre devait se dissoudre. Petit à petit, je devenais un non-être et appris à ne pas exister pour ne pas nous trahir. Les jours succédèrent aux jours…
Imperceptiblement, les sapins secouaient la neige attardée. Les champs en s'évaporant laissaient apparaître des tas de fumier fumant au soleil. Odeurs inoubliables… La glace des chemins se gravillonnait.

Les premiers tussilages sur les talus ponctuaient d'or la terre réchauffée. Les crocus se frayaient un chemin entre les plaques de neige. J'entendais l'eau ruisseler de toutes parts. Le printemps s'annonçait; j'en étais tout étourdie.
L'été éclata un matin sans me prévenir. Les blés ondoyaient et doraient à vue d'œil, dans une atmosphère chaude, généreuse. Les insectes bruissaient. Les sapins sentaient bon la résine.
Je me sentais protégée... Oui! Je me sentais protégée! Protégée de qui? Je le savais. Vous aussi, vous le savez. Mais pour quelle raison? Les paysans le savaient-ils vraiment? C'était simplement dans leur nature: j'étais leur secret caché et inavouable. Aussi, je ne me cachais plus. J'étais devenue quelque chose d'animé sans âme. On s'habitue au temps arrêté...
«Elle est bien calme, cette petite! Elle ne dit jamais rien...» Une parole caresse. Un sourire de paix éphémère. Nous allions à la rencontre des gens d'en haut. Leur silence était magnificence.
L'automne flamboyait déjà... Le crissement des feuilles accompagnait nos longues marches à la quête d'un œuf, d'un fromage. La vie était belle! Belle... Malgré ces offrandes sur une tombe annoncée...
Je me souviens de ces instants sublimes.
L'accoucheuse au fond des bois... Une sorcière à la voix chaude, au cœur immense, au plein savoir. Généreuse. Masure dans les pins. Sol de terre battue. Longue table servant à tout... à pétrir, à manger, à soigner, à écouter... Chaude pénombre...

Je me souviens de la fromagère suisse... complice. Le café fumant partagé; de la crème à gogo... La guerre! Quelle guerre?
Je me souviens du boulanger. Il apparaissait là comme s'il nous attendait, tout saupoudré de blanc. Alors il nous offrait un pain, un bol de farine, pudiquement: lui savait...
Je me souviens de la joyeuseté du bassin, du flot ininterrompu d'eau de source chatoyante, du trop-plein s'écoulant dans un tronc couché, évidé...
«Tu vas te mouiller!» «Fais attention au cheval! Il peut te donner un mauvais coup!» grondait Mme G. Je me tenais là, subjuguée par son gros derrière. Je n'avais pas peur des vaches revenant des champs, du cheval du labour, du chien de je ne sais où... Oui, j'aurais aimé être ce chien, ces vaches, ce cheval...

Je ne me cachais plus, mais tout en moi était caché... Je regardais ce monde avec acuité; je l'écoutais avec avidité pour ne rien perdre, pour ne jamais vous oublier, pour ne pas sombrer.

La nature omniprésente était la meilleure façon de rentrer en moi.
Mais une petite fille devait aller à l'école! Quelle école? L'école de Méaudre, voyons! Une vraie école: une classe pour les filles, une autre pour les garçons.
Ce dont je me souviens, c'est de ne plus me souvenir de rien... Sauf des séances de souffrance infligées par l'institutrice, Mme L. Elle voulait savoir d'où je venais... Elle voulait savoir si ma mère était bien ma gouvernante et... pourquoi pas ma mère? Si le jeune homme qui venait nous voir de loin en loin était un simple ami... et pourquoi pas mon frère? Elle voulait savoir... Elle n'a jamais su! J'étais devenue une tombe. L'école, une prison. Dieu merci, la nature m'abritait, sublime.
Les saisons succédaient aux saisons. Les heures s'égrenaient, longues. Mais l'horreur s'annonçait, inexorable. Les Allemands envahissaient le Vercors. Ils furent arrêtés à Saint-Nizier... Pour combien de temps? Que faire pendant ce temps suspendu? Revivre le passé... Imaginer l'avenir... Fuir. Encore fuir... Mais où? Les Allemands brûlèrent Saint-Nizier. Ils brûlèrent Vassieux. Ils étaient là. Là, tout près de moi... Bottés, casqués, armés. Ils cherchaient les résistants... Ils n'avaient que faire d'une petite fille sans étoile jaune... Mais ceux qui me protégeaient depuis si longtemps auraient pu m'offrir sur un plateau, désespérés par la perte de l'un des leurs, la destruction d'une ferme, l'anéantissement d'une vie de labeur.

Nous attendions là, fatiguées. J'étais devenue transparente. La vie reprenait, alourdie par la mort.
Taire. Le fusil pointé sur le résistant. Le coup de feu. Le jeune homme gisant derrière la maison.
Taire. L'inconnu fauché à l'orée du bois. Les camions emportant ceux qui n'étaient pas encore morts vers la mort.
Je me sentais en suspens, comme un souffle.

Puis un jour, plus d'Allemands! Imaginez là-haut, où que vous soyez: plus d'Allemands!
Je ne pouvais pas reprendre mon souffle. Je ne me souviens en fait plus de rien... L'impossibilité d'être autre chose.
Puis un autre jour, plutôt à la naissance de cet autre jour, nous fûmes réveillées par des coups à la porte. Des coups redoublés. Des cris. Des bruits de crécelles, de casseroles. Des rires même...
« C'est la Libération! Ouvrez! C'est la Libération! Ouvrez donc! »
Sans faire de bruit, nous avions quitté le lit. Il aurait pu grincer...

Je me vois, rivée sur une chaise, toute recroquevillée comme une petite vieille…
«La Libération! Pas possible… C'est pas possible!» chuchotait ma mère, incrédule.
Les heures s'écoulaient. Le soleil filtrait à travers les persiennes. De temps en temps, on cognait à la porte. «C'est la Libération! N'ayez pas peur! Elles sont là! J'en suis sûr!… »
Le 16 juillet 1942, la concierge avait aussi crié: «Ils sont là! J'en suis sûre!» Le policier n'avait pas eu besoin d'enfoncer la porte…
«Maintenant, ils n'ont qu'à enfoncer la porte», chuchotait ma mère.
Enfoncer la porte: qu'y avait-il derrière la porte? Que trouveraient-ils?
Une petite fille apeurée, terrorisée, inconsolée…
Le soleil avait disparu. Les cloches sonnaient à perdre haleine et nous parvenaient assourdies, essoufflées. Était-ce le glas? Je n'ai jamais eu l'oreille musicale…
«Mademoiselle B.! Agnès! Ouvrez enfin!… »
Quelle autre issue? Je me vois descendre l'escalier, épuisée. Il craquait… Il aurait bien pu avoir la décence de se taire… Je butai contre un tabouret. Décidément! Ma mère ouvrit la porte. Le soleil se couchait; le ciel rose et doré m'aveuglait: ils étaient tous là. La grosse Mme G., Blanche, Berthe et le chien…
«C'est la Libération! Écoutez les cloches! Écoutez!… »
Blanche me prit dans ses bras, pour la première fois, m'embrassa.
«Ma petite Agnès! T'es libre! T'es libre!» Sa sœur en fit autant… Je me sentais secouée, ballottée, caressée: une poupée de chiffon…
«Tu es libre! Tu comprends?»
J'étais libre… Je venais de vivre comme un rat. Je m'étais terrée, et la peur encore prégnante, je me laissais faire… Je les regardais, absente…
Alors, je vis leur joie s'éteindre. Ils se redressèrent; se turent, déçus.
En silence, ils s'éloignèrent, nous laissant là, sur le pas de la porte…
«Ces Juifs! Ils ne sont jamais contents!… »
Et nous, seules dans la nuit, nous n'avions même pas dit MERCI.

Mes chères étoiles, je ne sais pas pourquoi je vous ai raconté tout ça… Je suis maintenant une vieille dame… À chaque instant de ma vie, depuis soixante ans, je me demande: «Pourquoi pas moi?»
«Pourquoi pas moi?… »
Il n'y a que vous qui ayez la réponse, et quand le moment viendra, vous me la donnerez de vive voix.

Agnès

Chapitre 6

Terre

Les étoiles brillent en plein jour, alors même que nous sommes victimes de cette illusion qui nous empêche de voir ce qui brille pourtant beaucoup plus fort, et depuis beaucoup plus loin que le soleil.

Pour nos lointains ancêtres, les étoiles étaient les âmes des morts qui avaient été admis au ciel…

Le spectacle d'une étoile filante leur donnait à penser que l'âme d'un enfant tombait du ciel sur la terre pour s'y éveiller enfin à la vie…

Il vous faudra échapper aux brumes de la nuit; atterrir pour de bon. Réapprendre à marcher. Oublier jusqu'au souvenir du mal de mer… Arriver à marcher droit; à ne plus zigzaguer comme si la mer continuait à danser sous vos pieds…

Le tatouage qui marque le poignet de ceux de vos proches qui vous auront été rendus, vous ne le porterez pas sur votre peau, mais dans votre tête… Il traduira la somme complexe des additions et des soustractions de vos sentiments contradictoires… Sentiment de reconnaissance envers ces parents qui vous auront sauvé; sentiment de culpabilité parce que vous aurez survécu… Sentiment d'abandon parce que vous n'aurez toujours pas digéré l'instant de la séparation… Sentiment d'absurdité, d'inachèvement parce que vous n'aurez jamais pu matérialiser votre deuil, parce que vous ignorerez pour toujours la date et l'heure de la disparition de ceux qui vous donnèrent la vie, parce que vous n'aurez jamais pu veiller leur pauvre corps au dernier soir de leur existence…

Vos bourreaux auront instillé dans vos veines un poison à diffusion progressive et lente: celui de l'incertitude; celui de l'attente. Il vous aura fallu souvent plus de quatre décennies pour identifier le jour et l'heure de la disparition de vos proches sur les listes établies par Serge Klarsfeld… Et pendant tout ce temps, chaque pas dans l'escalier, chaque coup frappé à la porte vous aura plongé l'espace d'un instant dans une angoisse dont vous ne saviez plus si elle évoquait le moment révolu de la traque ou celui tant et vainement espéré de retrouvailles dont vous saviez très bien au fond de vous-même qu'elles n'étaient pas vraisemblables...

Vous serez resté si longtemps un enfant caché. Après avoir pris l'habitude de vous taire pour rester en vie, vous aurez continué à vous taire pour essayer de survivre... Vos enfants auront perçu vos émotions sans pour autant pouvoir comprendre dans toute sa latitude une douleur que vous n'exprimiez pas... Leurs questions n'auront fait qu'aggraver vos souffrances et leur sentiment d'injustice, puisqu'ils avaient à pâtir d'un calvaire dont ils n'étaient pas responsables... Angoissés par vos angoisses, ils seront devenus eux aussi petit à petit les enfants d'un certain silence, ceux qui préféraient se taire à leur tour pour ne pas rouvrir la plaie de vos souvenirs...

Longtemps votre détresse sera restée indicible, sourde et brute, sans que vous ayez jamais trouvé les mots pour qu'elle puisse s'épancher...

Et puis, progressivement, vous aurez découvert que vous n'aviez jamais été vraiment seul dans votre douleur; que vous aviez été des milliers d'enfants cachés, privés d'enfance, d'amour et de réconfort... Vous aurez découvert qu'il vous faudrait laisser une trace pour que personne ne puisse jamais nier la réalité de vos souffrances... Vos petits-enfants vous auront posé les questions que vos enfants n'osaient plus vous poser. Il aura fallu que s'enchaînent trois générations pour que la vie reprenne un cours à peu près normal...

Le silence est destructeur. Le silence est la continuité de la cachette. La parole seule est salvatrice, génératrice d'une réelle envie de vivre, pour l'ex-enfant caché, enfin libéré.

Amnon GRINBAUM, psychanalyste

Sans la mémoire des meurtrissures du passé, nous ne serions ni heureux ni malheureux, car l'instant serait notre tyran.

Boris CYRULNIK, *Un merveilleux malheur,*
© Éditions Odile Jacob, 2002

Je crois que je n'ai jamais vraiment quitté l'enfance. Le 16 juillet 1942, je n'ai pas compris que ma vie s'était, sinon arrêtée, du moins relativement pétrifiée.

Maurice RAJSFUS, *Opération Étoile jaune,*
op. cit.

Ma vie d'adolescente était close sans avoir été vécue.
Les gens étaient rentrés, on ne parlait plus de la guerre sauf pour les restrictions alimentaires. Tout semblait fait pour oublier les persécutions nazies. Il était de bon ton de ne pas en parler, on ne parlait pas des Juifs, c'était mal vu. Ceux qui avaient survécu aux camps ne s'en vantaient pas. Nous vivions une époque glorieuse où toute la France avait résisté ! Beaucoup de Juifs changeaient de nom – on ne sait jamais !
Dans notre famille, nous avions pu échapper à l'étoile jaune, il ne fallait pas en demander trop. Famille cachée, mieux valait rester un peu cachés. Si on nous avait persécutés, c'est qu'il y avait sans doute de bonnes raisons. On ne peut pas avoir été bouc émissaire sans se sentir un peu coupable.

Arlette

Après la guerre, très peu de déportés ont raconté l'indicible horreur. Rien n'avait été prévu pour les entendre, les écouter. De toute façon, ils étaient vivants et c'était sur le sort des morts qu'il convenait de s'apitoyer, n'est-ce pas ? De plus, leurs récits étaient incroyables.
Même les résistants se sont tus. Anonymes dans la guerre, inconnus dans la paix retrouvée. De-ci, de-là, une figure emblématique, nécessaire à la bonne conscience des populations.
À la Libération, les enfants cachés furent confrontés à l'inattention et à l'ignorance des adultes. La révélation du martyrologe de la Shoah et de son ampleur concentrait l'attention. Des millions d'enfants juifs assassinés, mais les enfants cachés étaient vivants. De quoi pouvions-nous nous plaindre ? Ni ecchymoses ni amputations. Nous avions été sauvés par des gens admirables et chaleureux. Une affectivité mutilée ? Bah, les enfants sont souvent difficiles, bizarres, hypersensibles.
Alors, nous nous sommes tus. D'aucuns se sentaient coupables d'avoir survécu soit à leurs parents, soit aux autres enfants assassinés. En outre, nous ne comprenions ni ne mesurions l'impact de cette période sur notre devenir ou simplement sur notre vie quotidienne. Plus tard, progressivement, face à notre destin tronqué, à nos difficultés d'être, nous avons pris conscience de nos décalages et de nos blocages. Les psychothérapeutes ont rarement saisi ce qui fermentait en nous. Comment l'auraient-ils pu ? La Shoah n'a pas de précédent dans l'histoire de l'humanité. Aucune aide donc à attendre de ce côté. De toute façon, rien ne s'efface de la mémoire. Tous, nous portons un amour profond et nous vouons une reconnaissance infinie aux glorieux, généreux et discrets héros de l'ombre et du cœur qui ont risqué leur vie pour sauver

la nôtre. Ils n'ont pas été indifférents. Ils nous ont aimés et témoigné leur immense fraternité. Nous avons beaucoup reçu. Nous n'avions que notre innocence, notre peur et un péril mortel à leur offrir. Quand, après cinquante années, j'ai trouvé la force d'affronter mon passé et de les revoir, ils étaient tous décédés. Ultime dérision du destin. Je désirais tellement leur dire : « Merci, je vous aime. Je ne vous ai pas oubliés. Je ne vous oublierai jamais. »

Chaskel

Avec ma mère, on ne parlait pas. De toute façon, nous, enfants cachés, nous devions nous estimer contents d'être encore là. On n'avait rien vécu, on n'avait pas été dans un camp de concentration, donc on n'avait rien à dire. Je n'ai jamais parlé avec ma mère de ce que j'ai moi-même vécu. Elle, elle parlait toujours. Mais moi, je n'ai jamais parlé. Elle ne sait même pas ce que j'ai vécu... Je ne lui ai jamais raconté mes petites histoires parce qu'elle n'était pas ouverte à ça.

Louise

Je crois que collectivement en France, à la Libération, il y a eu la volonté de jeter un voile, d'oublier beaucoup de choses qui s'étaient passées et nous n'avions pas à parler parce qu'il n'y avait personne pour nous entendre.

Charles

Personne ne vous a dit : « Tu es beau, nous avons confiance en toi. » Personne ne vous a regardé comme on regarde un enfant. Par la suite, tout le monde peut bien vous répéter ce genre de choses, cela n'est pas pareil. Il manque les fondements. Ma mère adoptive n'a pas ménagé sa peine pour me redonner confiance en moi. Mais la blessure, le vide intérieur n'ont pas disparu pour autant. D'autre part, en dépit des progrès que la vie peut nous inciter à faire, en dépit des circonstances satisfaisantes, d'un entourage chaleureux, ce qui est fait ne peut être défait. Et l'on ne peut pas dire à cinquante-cinq ans : « Ça y est, j'ai retrouvé mes sœurs, je suis contente. » Ou : « J'ai retrouvé mes cousins, me voilà comblée. » Cela n'est pas vrai.

Marion

Sans cesse, les enfants cachés ont eu à subir des questions du type: «Tu as survécu, toi, tu n'as pas le droit d'être triste.» Dans l'immédiate après-guerre, de nombreuses maisons d'enfants accueillaient les orphelins de père et de mère. Mais il semble que les enfants les plus malheureux aient été alors ceux qui avaient atterri dans la famille proche, qui vivaient entourés d'enfants de leur âge, trop différents pour les comprendre et à qui l'on répétait sans cesse qu'ils devaient être gais.
Aujourd'hui, je sais que les anciens enfants cachés ont eu des itinéraires très différents, des vies parfois réussies, mais aussi, souvent, des existences jalonnées de divorces et de séparations. Mais une chose les fédère: leur souffrance profonde qui n'a jamais pu s'effacer, une plaie béante qui suppure quel que soit l'univers qu'on a pu se recréer. Quelque chose d'intact encore cinquante ans plus tard.

Marion

J'écrivais à Papa. J'avais l'impression que j'avais besoin de lui écrire. Et après la guerre, je... quand je me promenais dans la rue, je regardais tous les hommes et je me disais: «C'est peut-être mon père cet homme-là, il lui ressemble.» Et quand quelqu'un lui ressemblait, que je le voyais, j'avais envie de m'approcher de lui, je pensais: «Peut-être il a perdu la mémoire, peut-être il ne se rappelle pas de nous, est-ce que je ne dois pas aller vers lui?» Je ne pouvais pas imaginer qu'il ne soit plus là, parce qu'il me manquait terriblement. Et je n'ai jamais voulu admettre qu'il soit mort. Je ne l'ai fait que beaucoup plus tard lorsque j'ai vu noir sur blanc le numéro du convoi, son immatriculation.

Renée

Il y a eu des moments très difficiles et ça a duré jusqu'en 1950. Tous les jours, ma mère nous prenait mon frère et moi par la main et nous faisait descendre à pied jusqu'à la gare chaque fois qu'il y avait un train qui arrivait de Paris. Parce qu'elle disait toujours: «Papa va revenir, ça n'est pas possible qu'il nous ait abandonnés, ça n'est pas possible qu'on l'ait tué, il va revenir.» À chaque fois, on descendait, on pleurait, mon père n'était pas là; aucune nouvelle; on ne savait rien. On a fait faire des recherches par la Croix-Rouge française qui n'a rien su nous dire sur mon père. Et donc, Maman a essayé de savoir. Rien. Le gouvernement français ne savait rien. Ils lui ont donné un acte de disparition de la date où il avait écrit qu'il partait pour une destination inconnue.

Et ensuite, cinq ans après, il y a eu un jugement. C'est par ce jugement qu'on a dit, donc, que mon père était mort en déportation.

Betty

Nous sommes priés de ne pas déranger le reste du monde avec notre chagrin.

Claudine BURINOVICI-HERBOMEL, *Une enfance traquée, op.cit.*

Quand je suis retournée à l'école primaire, c'était rue Béranger près de la République, dès que quelqu'un avait un nom comme Kahn ou Lévy, c'était «sale Juive». Tout de suite après la guerre, j'étais «une sale Juive». Donc c'est pour ça qu'on nous appelle enfants cachés parce que non seulement on était cachés pendant la guerre, mais on était cachés très longtemps après la guerre mentalement, psychologiquement. Ce n'est que récemment qu'on nous a appelés les enfants cachés. Et je crois que nous sommes aussi les enfants du silence parce qu'on ne parlait pas de notre enfance, on évitait d'en parler.

Ruth

Il y avait cette absence si longue, cette attente sans fin. Il fallait vivre avec. Vivre avec les images qui peu à peu se voilaient, avaient des contours de plus en plus flous. Vivre avec cette mémoire effritée, ce sentiment étrange que la vie d'avant n'avait jamais existé.
La mémoire de la petite enfance est soutenue, entretenue par des récits, mille fois contés, par des anecdotes mille fois reprises. Les souvenirs deviennent extasiés. Un enfant fait répéter mille et une fois les premiers pas, le premier sourire, les premiers mots, les premiers fous rires ou les premières colères. Les souvenirs sont comme les cercles concentriques d'un arbre. Ils ramènent au cœur de soi-même, au cœur des premiers jours de notre existence.
On l'a jetée brutalement hors de l'enfance. Tout ce qui avait jusqu'alors composé son identité, les liens de l'amour, la douceur, la complicité, la certitude absolue d'appartenir à une famille, d'avoir une histoire partagée, d'être un des maillons d'une grande chaîne; tout ce que, jour après jour, ses parents lui avaient donné, appris, tout cela en un instant fut détruit. Rien ne prépare à des déchirures si profondes, si brutales. Elle dut s'accrocher au mirage, au rêve secret que tout n'était

qu'un vertige passager. Elle dut construire un mur pour ne pas désespérer tout à fait. Elle n'a plus de souvenirs d'avant. Rideau noir. Elle a beau chercher, fouiller, elle ne retrouve rien. Uniquement des bribes d'images tellement confuses, tellement abstraites qu'elle doute de leur réalité.

Yveline STÉPHAN, *Élise B.*,
© Éditions de l'Aube, 1998

Pendant des années, c'est resté là, dans une boîte de fer, enterrée si profond à l'intérieur de moi que je n'ai pas su au juste ce que c'était. Je savais que je transportais des choses instables, inflammables, plus secrètes que celles du sexe et plus dangereuses que les spectres et les fantômes. Les spectres avaient une forme, un nom. Ce qu'il y avait dans ma boîte en fer n'en avait pas. Ce qui vivait là, à l'intérieur de moi, était si puissant que les mots s'effritaient avant d'arriver à les décrire.

Helen EPSTEIN, *Le Traumatisme en héritage*,
La Cause des Livres, 2005
(édition originale : *Children of Holocaust*, © Penguin, 1988)

Nous qui avions été cachés, nous étions des enfants miraculés. Alors que des enfants avaient été brûlés, avaient été tués, que tant de gens étaient morts, comment pouvait-on s'interroger sur nos problèmes personnels à nous ? Comment pouvions-nous avoir le droit d'avoir des problèmes personnels ? Nous n'avions pas le droit d'avoir des problèmes personnels, dans le contexte, ça aurait paru indécent.

Charles

Les traumatismes des enfants qui étaient très petits au moment de l'Occupation n'ont pas été pris au sérieux. La société a occulté une grande partie des problèmes de l'Occupation. Il y avait une volonté, il y a des tabous qui ont été imposés à partir de la phrase du général de Gaulle : « Mais la République, elle, n'a jamais cessé d'être... » À partir de ce moment-là, il devenait impossible de ressortir les histoires, et le fait de ne pas pouvoir ressortir le problème nous a empêchés de parler, de nous faire aider, de reconnaître nos propres difficultés. Il n'y a pas eu de prise en charge. J'avais besoin d'une assistance extérieure à la famille après la guerre. C'était quelque chose qui n'existait pas. La psychologie était embryonnaire. Mes parents avaient trop de problèmes. Mais ils ont vécu dans la négation des miens. Cela m'a fait perdre beaucoup d'énergie, beaucoup de force.

Charles

J'ai toujours eu l'impression d'être ficelée. D'ailleurs des années après, je me cachais sous les tables et je pouvais très peu parler. Je n'y arrivais pas. J'avais l'impression d'être ficelée, mais je pensais que c'était uniquement dans ma tête parce qu'il fallait se cacher, il ne fallait pas dire qu'on était juifs. Il ne fallait pas... je le sentais. Je ressentais tout ça. On a des antennes, on a l'instinct des animaux. On le ressent, même tout bébé, tout petit. Et ça, ficelée, finalement je croyais que c'était uniquement dans ma tête, et par la suite ma mère m'a dit que finalement on a été réellement ficelées.

Agnès-Claudine

Je ne me dévoilais jamais. Ça a été comme ça toute ma vie. Je trimballais des angoisses. En allant à l'école je ne marchais pas sur les rayures, contre les pavés des trottoirs. Je n'étais pas superstitieuse, mais j'essayais de me calmer avant d'arriver, d'être à la hauteur de ce qu'on allait me demander.
Il a fallu des années pour que je comprenne que, dans ma vie, j'ai développé cent fois plus de force que quelqu'un qui se réveille en chantant le matin, et pour qui la vie est légère. Dès l'école, il a fallu que je développe une maîtrise, une volonté de cacher mes sentiments, de surmonter mes angoisses, les humeurs de mes professeurs...

Jacqueline

Pendant des années et des années, j'ai caché mon nez, parce que la personne qui était avec nous, elle s'appelait Julie, m'avait dit : « Vous avez le nez juif, on va vous reconnaître, il faut absolument vous cacher le nez tout le temps. » J'ai gardé le geste comme ça, bien après la naissance de mon premier enfant, chaque fois que je rencontrais quelqu'un que je ne connaissais pas.

Denise

Je suis moi-même une personne toujours angoissée. J'ai beau essayer de lutter contre ça, j'y arrive difficilement. Par rapport à mes propres enfants... Ils me disent qu'ils vont rentrer vers telle heure : s'ils ne sont pas là, je commence à m'inquiéter. Il y a des choses qui me poursuivent : le premier jeudi du mois, quand il y a les sirènes, je ne supporte absolument pas. Je me bouche les oreilles. Ça me rappelle ma petite enfance : on allait se cacher dans les abris quand on les entendait. Il me semble qu'elles ont la même tonalité qu'à l'époque. Je ne supporte pas qu'on coure dans un escalier, qu'on tape dans une porte. Pendant ma carrière professionnelle, ça m'a toujours beaucoup gênée : je n'acceptais pas qu'on ouvre brutalement une porte sans frapper. J'ai toujours demandé aux gens de frapper avant d'entrer. Et je ne supporte pas les cris. Je suis toujours une personne angoissée, inquiète, pas sûre de moi.

Colette

L'angoisse me prend, c'en est trop, tout mon être craque. Les phobies s'installent, la peur panique de sortir de chez moi. Je n'ose traverser la rue, je suis en sueur, mes mains tremblent continuellement. Les grands espaces, les lieux clos me paralysent. Les uniformes, bâtiments publics, ministères, commissariats m'effraient. Au cinéma, il faut que je sois toujours au début du rang pour pouvoir vite me sauver au cas où... J'ai constamment une boule dans la gorge et de terribles douleurs dans la nuque. Ma mâchoire est tellement crispée que j'ai du mal à avaler. Je suis dans la crainte permanente de devenir folle. Vivre m'épuise. J'ai une peur panique des couteaux. Depuis les disparitions de ma mère et de mon frère qui m'ont tant culpabilisée, lorsque je vois un couteau je fais un effort pour en détourner les yeux, ayant peur qu'une impulsion subite ne me fasse l'utiliser pour me détruire. Couteaux et cutters pointés sur moi par inadvertance déclenchent une frayeur incontrôlable. Je développe toutes sortes de maladies, comme si mon corps exprimait ce que je ne peux dire. Cette jeunesse volée, sans aucun souvenir d'insouciance, d'apprentissage de la vie, de laisser-aller, c'est comme des marches qui manquent à un escalier. Les médecins, à l'époque, ne m'ont pas aidée, aggravant plutôt mes doutes sur mes incapacités de toutes sortes.

Claudine BURINOVICI-HERBOMEL, *Une enfance traquée, op. cit.*

C'est une partie de moi qui est morte. Je ne sais pas comment expliquer ça. C'est un manque, que je garderai jusqu'à la fin de ma vie. C'est une frustration. J'ai eu la chance d'arriver à constituer une famille. Quand j'ai eu ma fille, j'ai cru combler un manque qui durait depuis la mort de ma mère. Pendant des années, j'avais eu ma vie de femme à faire, ma vie de mère : je savais que ça ne servait à rien de remuer le passé. Mais plus le temps passe et plus je pense à ma mère, plus je pense à tout ce que j'ai perdu : elle n'a pas eu le temps de m'aimer, je n'ai pas eu le temps de la connaître, et tant que je vivrai, le vide ne pourra pas se combler…

Hélène

Pendant toutes ces années, je ne cesse de penser à ma mère qui m'a été si brusquement arrachée. Elle me manque tant. Nous n'avons pas eu le temps de nous parler, de nous connaître. Le soir, en fermant les yeux, je revois son visage, ses yeux si bleus, sa peau fine, sa chevelure peu fournie qui la désespère. J'essaie désespérément de me souvenir d'autres détails : sa voix, ses gestes, mais c'est flou ; seul son rire, dans de rares moments, me revient en mémoire car ma tante Paulette a le même. Elle connaissait des vers de La Fontaine par cœur et m'aidait lorsque j'avais à les réciter. Elle a entouré de tendresse son dernier enfant, le couvrant de caresses et l'allaitant jusqu'à ce qu'on le lui arrache. Certes, on a tendance à idéaliser ceux qui ont été engloutis dans cette mort atroce, gommant tout ce qui ternirait leur image, mais je sais que la vie de Maman fut très dure avec peu de moments heureux. J'ai l'âge d'être sa propre mère. Cela m'impressionne et je voudrais la dorloter, la faire rire, lui dire que dans les moments difficiles, je sens toujours sa présence à mes côtés. En prenant de l'âge, nos visages se ressemblent de plus en plus. D'elle, je ne possède que quelques photos et sa bague de fiançailles confiée à notre voisine avant son arrestation. Nous partageons aussi la passion des livres qu'elle n'avait pas le temps d'assouvir. Comme pour elle, les livres sont mes jardins secrets, je me persuade qu'ils n'ont été écrits que pour moi. J'aime l'odeur du papier, de l'encre, le toucher des pages. Je cherche chez les écrivains que j'aime des échos à mes interrogations. Quelquefois, la fulgurance d'une ligne suffit à me délivrer de mes angoisses. Les livres ont comblé peu à peu mes manques, atténué mes complexes.

Claudine Burinovici-Herbomel, *Une enfance traquée, op. cit.*

J'ai rêvé que j'étais dans l'appartement de mon enfance, il faisait nuit, sombre. Devant la fenêtre se tenaient quatre ombres, serrées les unes contre les autres, un homme, une femme, deux enfants. À ce moment, mon regard a été attiré par une fenêtre pauvrement éclairée de l'autre côté de la cour, à l'intérieur de laquelle se mouvaient quelques ombres, êtres sans visage. Mais aussitôt mon regard est revenu à la recherche des quatre ombres. Elles avaient disparu et j'ai été envahie d'une tristesse infinie. Je savais que c'était mon père, ma mère et mes deux jeunes frère et sœur, ombres dans la nuit du temps, et je les ai laissés partir sans les embrasser, sans leur dire au revoir, sans même les accompagner. J'étais maintenant seule dans cette pièce sombre, le cœur gros. Et voici qu'au plus profond de ma tristesse, un chœur s'est mis à chanter et il a entonné les psaumes, c'était beau. Je me suis réveillée.

Esther-Babette

Personne n'est revenu. J'ai repris des études en travaillant. Vingt-cinq ans après, j'ai fait une thérapie où j'ai enfin compris que je n'étais pas vraiment coupable de la mort de mes parents ou en tout cas de ne pas être morte avec eux; la seule chose que je pouvais faire pour eux était peut-être d'être heureuse. C'est probablement ce qu'ils auraient souhaité, alors qu'en fait, pendant les vingt-cinq premières années, je me suis niée. J'ai beaucoup travaillé, j'ai réussi une carrière honnête. J'ai eu deux fils. Je me suis mariée pour me punir. J'ai fini par divorcer. Tout ça, je pense que c'était: « Je n'existe pas et je suis coupable. » J'ai mis vingt-cinq ans à me sortir de ça. Je crois que j'en suis sortie. Mon fils cadet, à sa majorité, a fait des démarches sans fin pour reprendre le nom de mes parents. Je pense que la boucle est bouclée.

Irène

Ce 16 juillet 1942 a fait de nous des orphelins à perpétuité. N'avoir pas vu vieillir nos parents a dû bloquer notre propre vieillissement. Très tôt, il nous a fallu apprendre à vivre sans le recours au père ou à la mère, mais cette prise de responsabilité prématurée, qui aurait dû nous endurcir, a produit un tout autre résultat. Peut-être sommes-nous devenus de vieux enfants, un peu à l'image de ces nains parcheminés par l'âge mais que l'on a toujours tendance à considérer comme des adolescents.
Nous avons conservé dans le regard cette apparence de jeunesse, ce sourire fatigué qui n'appartient qu'à ceux qui ont côtoyé les envoyés

de l'enfer. Pour nous, l'enfer c'était Hitler et les nazis, c'était surtout la flicaille française, c'était l'indifférence et la froideur de la population, c'était la maison vide, c'était la peur du lendemain. C'était la hantise de la fin de la guerre et il fallait absolument survivre jusqu'à cette échéance, être là pour le retour des parents dont nous ignorions encore qu'ils étaient déjà partis en fumée.
Dès lors que nous avions été précipités hors de notre milieu naturel, écartés de nos parents, livrés à l'incertitude, au froid et à la faim, que pouvions-nous avoir désormais en commun avec les autres enfants de notre âge ? Plus tard, lorsque le temps serait venu de nous installer dans la vie, il y aurait toujours ce vide et nos enfants n'auraient pas de grands-parents. Ils ne connaîtraient pas ces vieux Juifs polonais, devenus français par habitude, attendrissants avec leur accent venu de loin et qui les auraient tellement aimés. Nos enfants aussi seraient sans doute traumatisés par cette absence, ces racines coupées au ras de leur propre mémoire…

Maurice RAJSFUS, *Opération Étoile jaune*, *op. cit.*

On se disait : « Demain on va m'appeler. » Et puis on ne nous a jamais appelés. On n'a jamais su si les parents étaient morts ou pas. Petit à petit, tout ça s'est éteint par un non-dit. On dit maintenant qu'on n'a pas fait notre deuil, mais quand même, c'était la désespérance, d'un jour à l'autre, on disait : « Ils vont revenir. » Et puis, au bout d'un moment, on ne pensait même plus « ils vont revenir ou ils ne vont pas revenir ». C'était difficile.
Je ne sais plus à partir de quand j'ai commencé à faire des cauchemars qui étaient toujours les mêmes. J'étais dans un immense grenier avec mon frère et ma sœur. J'étais poursuivi parce que j'avais tué quelqu'un. On se sauvait, on courait. Je ne sais pas si c'était les Allemands ou d'autres qui venaient nous chercher. On courait, on courait, on courait, et au bout de ce grand grenier, il y avait un trou, on tombait, je me réveillais. Ça a duré dix ou vingt ans. Je refaisais régulièrement le même cauchemar.

Albert

Je n'avais plus ni oncle ni tante, je me sentais vraiment tout seul. Et le plus dramatique, c'est cet abandon affectif. Je ne dis pas « abandon » par hasard : nous avons très mal vécu cette séparation. J'étais furieux après mes parents. Pourquoi étaient-ils partis, me laissant seul ? J'ai vécu ça d'abord comme un abandon injuste. Pourquoi m'avoir laissé sans mes frères et sœurs ? D'abord je n'ai pas compris. Ensuite, je leur en ai voulu énormément. Finalement, ce que je vivais comme une espèce de culpabilité d'être moi resté et eux partis, je m'en sortais en les accusant de ne pas avoir fait ce qu'il fallait pour qu'on reste tous ensemble, de ne pas être partis en zone libre comme beaucoup l'avaient fait. C'était une façon de se défendre contre cette douleur de la séparation. J'en ai voulu terriblement à mes parents.

Robert

Mes sœurs sont deux jolies petites filles aux cheveux lisses et courts, aux yeux rêveurs, à la bouche finement dessinée. Leurs têtes se touchent, elles semblent collées l'une à l'autre, si proches, presque jumelles. Elles sont aujourd'hui l'une des pierres de ce mémorial de papier réalisé par Serge Klarsfeld, où défilent les visages d'enfants épanouis, rieurs, boudeurs qu'on est obligé de lâcher au bout de quelques pages, saisi de révolte ou d'un saisissement insoutenable.

Marion

Serge Klarsfeld, *Mémorial de la déportation des enfants juifs en France*, *op. cit.*

Mon père allait revenir… Ma mère me promettait qu'à son retour, tout irait mieux et que je porterais des vêtements neufs quand je me plaignais trop des miens, toujours portés par d'autres avant moi, ou que je disparaissais dans un imperméable trop grand issu tout droit des surplus de l'armée américaine. Elle en faisait un fantôme merveilleux, c'était le plus gentil, le plus beau, le plus fort, le plus tendre, le plus doux, le meilleur des pères et des maris et il allait revenir. Je ne sais pas laquelle de nous deux a cessé la première de croire à ce mensonge, mais cette présence absente nous a été pendant très longtemps comme une nécessité pour continuer de vivre. C'est seulement en 1980 que j'ai vu les noms dans le *Mémorial de la déportation* de Serge Klarsfeld. Le nom de mon père y figure en bas de la liste n° 33. Jacob Zylberberg a été emmené de Drancy le 16 septembre 1942 et est arrivé à Auschwitz le 18 septembre, jour de mon quatrième anniversaire.

Rachel

J'attendais, j'attendais. J'ai rêvé des nuits et des nuits de l'état dans lequel serait mon père. Parce qu'on voyait les déportés revenir. Je le voyais sous toutes les formes, aveugle, lamentable... Et je pensais toujours qu'un jour on sonnerait. Je suis restée marquée par ça. Quand j'arrive chez moi, j'ai toujours l'impression qu'il va y avoir quelqu'un qui attend devant la porte.

Alice

Le départ des enfants a été pour moi un véritable déchirement; ils sont pourtant partis tard, à peu près à vingt-cinq ans. En fait, je n'arrivais pas à leur lâcher la main. Sans doute parce que moi, on m'avait lâché la main trop tôt, trop vite. Mais je me suis rendu compte, et mon fils me l'a très gentiment, mais très fermement dit, qu'une main qui tient trop longtemps devient une prison. Et en même temps, quand je le lâchais, il y avait en moi de terribles sentiments d'angoisse et de culpabilité. Je n'arrivais pas à me comprendre. C'était vraiment épouvantable, ce que je vivais. Je me rendais compte que j'étais tout à fait néfaste. Pour mon fils surtout, parce que ma fille, finalement, s'en accommodait assez bien, et je n'arrivais pas à être autre. Et c'est vrai que la séparation d'avec mon fils a été plus difficile : j'avais comme besoin de vérifier que lui n'avait pas disparu. Et je téléphonais, et je téléphonais trop souvent, et c'était pour lui insupportable.

Micheline

En tant qu'enfant caché, j'ai deux choses à dire : si je suis vivant aujourd'hui et si je peux vous faire toutes ces déclarations, je le dois aussi à toutes ces familles françaises, certaines étaient catholiques, d'autres protestantes, qui, au péril de leur vie, ont accepté de sauver des enfants. Je ne sais pas si aujourd'hui tout le monde serait prêt à faire la même chose... C'est une manière aussi de rendre hommage à ces gens qui étaient chrétiens, qui étaient généreux, qui ont risqué leur vie, qui m'ont sauvé, moi, mes sœurs et tant d'autres. Ceux-là, je ne les oublierai jamais. Et dès que je peux, je plante régulièrement des arbres à Jérusalem en leur mémoire. Il ne faut jamais les oublier. Il y a eu des gens qui nous ont voulu du mal, qui nous ont fait du mal. Mais tout le monde n'était pas comme ça et c'est aussi un espoir de paix.

Jacques

Les drapeaux et les religions, je m'en méfie comme de la peste. La personne que j'ai devant moi, ça m'est égal de savoir ce qu'elle pratique. C'est un être humain. Ce qui m'importe, c'est de savoir si elle est honnête ou pas. Le reste, vraiment, ça m'est égal… Je porte l'étoile de David, tout le monde me dit : « Mais alors, tu pratiques ? » Pas du tout. C'est parce qu'on m'a obligée à la porter quand j'avais treize ans. Maintenant, c'est moi qui choisis de la porter et si ça vous dérange, pas moi, c'est tout. Ce sont peut-être des réactions stupides. Mais ce sont des défis : je sais maintenant ce que c'est que d'être quelqu'un qui se cache. Jamais plus je ne fuirai, plus jamais…

Denise

Je suis l'eau irisée au-dessus du rocher, atomisée, éclatée. Je suis nébuleuse dans l'immensité, comme ma mère qui est partie dans l'atmosphère ; d'où ma confusion, c'est pour cela que je ne comprends rien de tout ce qui se passe autour de moi. Il faudra bien que je me reconstitue. Le plus tôt sera le mieux. J'y parviendrai.
Je sais que je ne peux rester immobile. Alors je ris, je souris, parle, saute marelle, le ballon bondit, à chat perché toujours la première. Je m'échappe, vous ne me rattraperez pas. Puisque rien ne m'est donné, je le prendrai, je ne serai pas une assistée.
C'est fini, on vient nous chercher. Je me remets à chanter. Tout est possible, tout est permis, même l'espoir. Ma joie est immense, je cours dans la prairie, je crie, je ris, je chante, la vie est là.

Simone

Lettre aux étoiles

Maman,

Ce mot qui me fait tressaillir, je ne l'ai plus prononcé depuis l'âge de neuf ans. Aujourd'hui, cela fait cinquante-neuf ans. Ce mot si doux, si tendre, me manque tant.
Tu étais partie de Pologne pour la France, où tu as cru que tu allais enfin vivre heureuse, sans antisémitisme. Tu as rencontré mon père, il était né à Varsovie. Vous vous êtes mariés à la mairie du 11e arrondissement de Paris. Tout promettait d'être merveilleux malgré la difficulté du langage et l'adaptation à cette nouvelle forme d'existence ; sans les tiens restés en Pologne. Ma sœur naquit, et moi après…

Après plusieurs déménagements, nous nous sommes installés dans un appartement agréable, pas loin de la place de la « République » : quel beau mot !...
Papa travaillait, toi, Maman, tu faisais tout pour nous rendre heureux, et nous l'étions. Je n'ai que des bons souvenirs de ces neuf ans.
Malheureusement, quelques jours avant l'anniversaire de mes neuf ans, alors que tu devais venir m'apporter mon gâteau et que nous devions souffler ensemble les bougies, ma joie s'est transformée en tristesse : tu fus arrêtée sur la dénonciation d'une voisine pour quelques deniers : « Une Juive en moins... »
L'autobus de ramassage des Juifs te transporta avec Papa à Drancy fin 1942. J'étais avec ma sœur chez une nourrice où tu nous avais placées, avec l'aide de l'OSE, pour nous cacher. À partir de ton arrestation, une vie errante commença. J'allais de famille en famille, dans des endroits à chaque fois différents. Nous étions traquées comme des bêtes. J'ai cru qu'un jour je te retrouverais : je te recherche encore...
Pourtant, je sais que tu as été réduite en cendres à Auschwitz. Je ne peux et je ne veux accepter une mort aussi sordide.
Tu étais heureuse, joyeuse, belle... Les nazis t'ont anéantie car tu étais « juive ». Ils m'ont aussi anéantie en partie. J'ai voulu t'honorer en vivant debout ; je voulais que tu sois fière de ta fille. Je t'ai portée dans mon ombre tout au long de ma vie. J'ai formé une famille. J'ai eu trois enfants qui, à leur tour, m'ont donné trois petits-enfants. La vie a continué et continue : j'ai à présent soixante-huit ans.
Pourtant, rien ne me rend complètement heureuse.
Je n'ai pu partager aucune joie avec toi, mais tu étais toujours indirectement présente dans ma vie. Combien j'aurais aimé te faire plaisir : combien de fois ai-je pleuré, car j'avais besoin de toi, de ton amour, de cet amour que seule une mère sait donner : car tu es irremplaçable.
Je regarde vivre mes enfants, m'appeler « Maman » : quelle chance ils ont d'avoir une mère ! Le savent-ils ?
Maman, je me suis promis de transmettre ton histoire, celle de Papa et de tant de Juifs partis en fumée, assassinés par les nazis.
Je suis à la retraite, je suis libre, je n'ai plus de responsabilités, enfin !...
Mes enfants ont quitté le nid et volent à présent sans moi.
Maman, j'ai erré, seule, après la guerre : j'avais douze ans et je croyais en ton retour qui ne vint jamais... J'étais devenue orpheline au fur et à mesure des années. J'ai compris ce que signifiait ce mot : « Orpheline », ne compter que sur soi, avancer seule dans la vie, sans foyer, sans la chaleur d'une famille... Combien de fois ai-je pensé : « À quoi bon cette vie ? » Mais ton ombre, Maman, m'interdisait de finir ma route.

Tu as été assassinée, je te devais de vivre, de transmettre ta mémoire, afin que tu vives longtemps au-delà de ma propre vie.
Maman, je n'ai jamais pu, depuis l'âge de neuf ans, te serrer contre moi, te gâter, et surtout t'aimer.
Il ne me reste de toi qu'une photo de famille qui transpire le bonheur.
Lorsque je la regarde, je ne peux croire que tu as été gazée, brûlée, réduite en cendres par les nazis.
Tu avais quarante-deux ans ; ta vie était à peine entamée. Ton visage est si vivant…
Pour moi tu n'es pas morte, Maman : je t'aime.
Ta fille Rosette, qui t'aimera jusqu'à son dernier souffle.

Rosette

Fermeture

Lettre aux enfants du silence

Il nous arrive parfois de tellement bien cacher un objet, un secret, un souvenir, que nous ne le retrouvons jamais, ou qu'il réapparaît, dans le meilleur des cas, par le caprice du hasard...

Ce que vous avez été obligés d'enfouir, vous ne l'avez jamais retrouvé...

On vous a volé vos enfances; on vous a volé une partie de vos vies, et avec elle votre esprit d'innocence, de confiance et de quiétude. Vous avez toujours depuis vécu sur le qui vive... La barre des soucis est sans cesse venue plisser vos fronts, comme si vous aviez toujours redouté l'instant d'après...

Vous avez été tentés alors de vous raccrocher à vos racines. Pour découvrir qu'elles aussi vous avaient été dérobées: bien souvent, vous n'aurez pas vu vos parents vieillir...

La barbarie des hommes a fait de vous des âmes, des ombres errantes...

Un million et demi d'étoiles silencieuses ont tapissé la portion du ciel qui surplombe vos pas... Un million et demi d'étoiles filantes figées dans leur course, de vies parties en fumée, incorporées à la brume, aux nuages, à la poussière des autres étoiles...

Que ces étoiles soient gardées par un ange ou par un cousin du Petit Prince, chacune d'entre elles inscrit dans le ciel la lueur vacillante d'un souvenir, la trace d'un visage d'enfant qui portait sur le monde un regard neuf et chaleureux... Et même s'il ne reste rien de ces instants de vie, de ces éclats de rire ou de détresse, sinon quelques photographies jaunies et griffées par le temps, sinon quelques dessins naïfs et quelques pages de cahiers d'écoliers illustrées par la magie de l'amour et recouvertes d'une écriture maladroite, il reste une autre mémoire: la vôtre; celle des enfants du silence ; de ceux qui ont survécu. De ceux qui se souviennent d'avoir été cachés par des hommes de bonne volonté. De ceux qui savent qu'ils sont toujours soigneusement et volontairement cachés dans les souvenirs d'une foule indifférente qui a parfois si peur de retrouver la mémoire...

Alors que vous auriez pu avoir été brisés, aigris, détruits par votre trop longue marche, par le poids d'un voyage dont vous savez qu'il ne trouvera jamais son terme, errant aujourd'hui dans le lit d'un fleuve dont vous avez perdu la source et dont vous ne trouverez jamais l'embouchure, vous avez signé ces paroles après vous être tus si longtemps...

Elles nous disent le poids de votre souffrance et celui de votre amour blessé. Elles nous disent votre volonté de donner au monde cette chaleur, cette vie que vos semblables, que nos semblables auraient voulu étouffer. Elles nous disent la force de ce qui nous rapproche et l'indispensable nécessité de ce qui nous différencie.

Chronologie

1939

3 septembre 1939 : La France déclare la guerre à l'Allemagne.

1940

4 mai : Construction d'Auschwitz.

25 mai : 9000 ressortissantes allemandes et autrichiennes dont 50 % de Juives sont internées par les Français au camp de Gurs avec leurs enfants.

10 juin : Les Allemands envahissent la France.

14 juin : Les Allemands entrent à Paris.

22 juin : Signature de l'armistice.

10 juillet : Le maréchal Pétain devient chef de l'État français.

22 juillet : Révision des naturalisations : 15154 Français d'origine étrangère dont 6307 Juifs sont déchus de leur nationalité française.

27 septembre : Ordonnance allemande pour le recensement des Juifs en zone occupée.

3 octobre : Promulgation du premier statut des Juifs par le gouvernement de Vichy qui définit les Juifs comme une race alors que les nazis ne parlent que de religion…

4 octobre : Loi autorisant l'internement des « étrangers de race juive » dans des camps spéciaux.

7 octobre : Abrogation du décret de naturalisation collective des Juifs d'Algérie.

18 octobre : Ordonnance allemande prévoyant le recensement des entreprises juives et leur imposant un administrateur. 30000 entreprises seront mises sous tutelle.

21 octobre : Interdiction de certaines professions aux Juifs : enseignants et assimilés.

À partir du 22 octobre : Apposition de la mention « Juif » sur les cartes d'identité en zone occupée.

1941

17 janvier : Obligation de prestation de serment pour les secrétaires d'État et les hauts fonctionnaires. Elle sera généralisée à tous les fonctionnaires en octobre.

Mars 1941 : Blocage des comptes bancaires des Juifs.

23-29 mars 1941 : Création du Commissariat général aux questions juives.

14 mai, 20-25 août, 12 décembre : Trois grandes rafles successives débouchent sur l'arrestation et l'internement de 8 700 Juifs étrangers en zone occupée par la police française.

2 juin : Promulgation du second statut des Juifs par le gouvernement de Vichy : interdiction d'accès aux professions libérales et aux études supérieures. Recensement des Juifs en zone libre.

21 juin : Les études supérieures sont quasiment interdites aux étudiants d'origine juive.

22 juillet : Loi sur l'aryanisation des biens juifs.

13 août : Confiscation des postes de radio chez les Juifs de la zone nord.

20-21 août : Création du camp de Drancy.

5 septembre : Ouverture de l'exposition « Le Juif et la France » au palais Berlitz, à Paris.

1942

20 janvier : Conférence de Wannsee : la « solution finale » de la question juive est mise en œuvre.

7 février : Interdiction aux Juifs de sortir entre vingt heures et six heures.

27 mars : Première déportation à Auschwitz de 4 000 hommes juifs arrêtés en mai et août 1941.

29 mai-1er juin : Obligation du port de l'étoile jaune.

1er juillet : Jean Marin évoque au micro de la BBC le massacre de 700 000 Juifs en Pologne et l'existence des chambres à gaz.

8 juillet : Restrictions des libertés pour les Juifs.

16-17 juillet : Rafle du Vél'd'Hiv à Paris. Plus de 13 000 Juifs sont arrêtés par 4500 policiers français: 4000 adultes et plus de 4000 enfants sont internés au vélodrome d'Hiver, 5000 couples et célibataires à Drancy.

19 juillet: Les premiers déportés français sont gazés à Auschwitz.

Août: Les autorités françaises reçoivent l'autorisation de laisser déporter les 4135 enfants de Drancy. Parmi eux, 2000 enfants ont moins de six ans.

26-28 août: Premières grandes rafles de Juifs en zone non occupée. 10000 Juifs «apatrides» de la zone libre sont livrés par Vichy à la Gestapo pour être «déportés vers l'est».

20 octobre: *J'accuse* (n° 2), journal de la presse juive clandestine résistante en zone occupée, publie des informations sur le gazage de 11000 Juifs et titre: «Les tortionnaires boches brûlent et asphyxient des milliers d'hommes, de femmes et d'enfants juifs déportés de France».

8 novembre: Débarquement des Américains en Afrique du Nord.

11 novembre: Occupation de la zone sud par les Allemands et les Italiens.

26 novembre: Sabordage de la flotte française à Toulon.

11 décembre: Décret Laval imposant le timbre «Juif» sur les cartes d'identité et les cartes d'alimentation dans toute la France.

25 décembre: *J'accuse* évoque l'existence des chambres à gaz et relaie la déclaration officielle des Alliés contre les massacres juifs.

Décembre: Près de 50000 personnes ont été déportées depuis la France en l'espace de cinq mois.

1943

Janvier: Création de la Milice. *J'accuse* publie des informations sur le fait qu'un million de Juifs auraient été exterminés par les nazis pendant l'année 1942.

2 juillet: Drancy passe sous administration allemande.

8 juillet: Paul Bouchon évoque au micro de la BBC l'extermination systématique des Juifs et la réalité de la solution finale.

1944

6 avril: Arrestation et déportation des 44 enfants d'Izieu par Klaus Barbie.

6 juin : Débarquement des Alliés en Normandie.
17 août : Départ du dernier convoi de Drancy pour Auschwitz.
25 août : Entrée de la deuxième DB à Paris.
26 août : De Gaulle descend les Champs-Élysées.
26 novembre : Himmler fait détruire les chambres à gaz des camps pour tenter de gommer leur existence.

1945

27 janvier : Libération d'Auschwitz.
11 avril : Libération de Buchenwald.
8 mai : Signature de l'armistice.
Été : Retour de 2500 survivants sur 76000 Juifs déportés, dont 11000 enfants…

Éléments de repères

La France des camps français

Nord

Compiègne, Écrouves, Vittel, Drancy, Beaune-la-Rolande, Pithiviers, La Lande, Paris Vél'd'Hiv, Paris Austerlitz, Paris Bassano, Paris Lévitan.

Sud

Gurs, Nexon, Mérignac, Les Milles, Noé, Rivesaltes, Septfonds, Vénissieux, Le Vernet, Rieucros, Brens, Agde, Récébédou, Argelès, Saint-Cyprien, Perpignan hôpital Saint-Jean, Perpignan hôpital Saint Louis, Villemur-sur-Tarn, Masseube, Stadium de Pau, Château du Doux, La Meyze, Soudeilles, Sereilhac, Douadic, Châteauneuf-les-Bains, La Guiche, Mons, Nébouzat, Alboussière, Les Marquisats, Montfort Montmélian, Pont-la-Dame, Reillanne.

Résumé des interdictions faites aux Juifs

Exclusion : de la nationalité française, de l'armée, de la fonction publique, de la presse, des activités culturelles, des professions libérales.

Confiscation : des entreprises juives, des automobiles, des bicyclettes, des postes de radio.

Interdiction : de changer de domicile, de quitter son logement entre vingt heures et six heures du matin, de prendre le métro à l'exception du dernier wagon.

Obligation : de porter l'étoile jaune dès l'âge de six ans en zone occupée (juin 1942).

Interdiction de fréquenter: les restaurants, les cafés, les cinémas, les salles de concert, les marchés, les foires, les piscines, les bains-douches municipaux, les terrains de sport, les champs de courses, les musées, les bibliothèques, les cabines téléphoniques, les magasins sauf entre quinze et seize heures, les hôpitaux.

Les rafles

14 mai, 20-25 août, 12 décembre 1941: Trois grandes rafles successives débouchent sur l'arrestation et l'internement de 8700 Juifs étrangers en zone occupée par la police française.

20-21 août 1941: Création du camp de Drancy.

16 au 16 juillet 1942: Rafle du Vél'd'Hiv à Paris: plus de 13000 Juifs sont arrêtés par 4500 policiers français: 4000 adultes et plus de 4000 enfants sont internés au vélodrome d'Hiver, 5000 couples et célibataires à Drancy.

19 juillet 1942: Les premiers déportés français sont gazés à Auschwitz.

Août 1942: Les autorités françaises reçoivent l'autorisation de laisser déporter les 4135 enfants de Drancy. Parmi eux, 2000 enfants ont moins de six ans.

26-26 août 1942: Premières grandes rafles de Juifs en zone non occupée. 10000 Juifs « apatrides » de la zone libre sont livrés par Vichy à la Gestapo pour être « déportés vers l'est ».

Décembre 1942: Près de 42000 personnes ont été déportées depuis la France en l'espace de six mois.

Février à décembre 1943: 17000 déportés depuis Drancy.

Janvier à août 1944: 14800 déportés depuis Drancy.

2 juillet 1943: Drancy passe sous administration allemande.

Été 1945: Retour de 2500 survivants sur 76000 Juifs déportés, dont 11000 enfants…

Le Mémorial de Caen :

un musée pour la paix

Le Mémorial de Caen est un musée consacré à l'histoire du débarquement de Normandie du 6 juin 1944 et qui est le lieu de mémoire des conséquences des conflits du XXe siècle, de la fin de la Première Guerre mondiale à la chute du mur de Berlin. Il est devenu au fil des ans une sorte de Cité de l'histoire pour la paix. Il reçoit chaque année près de 400000 visiteurs.

Mémorial de Caen
http ://www.memorial-caen.fr
Tél. : 02 31 06 06 45
Mail : contact@memorial-caen.fr

Du 11/02/12 au 07/11/12 : 9h-19h, tous les jours
Du 08/11/12 au 23/12/12 : 9h30-18h, fermé les lundis
Du 24/12/12 au 05/01/13 : 9h30-18h, tous les jours
Fermeture annuelle le 25 décembre, le 1er janvier et du 6 au 28 janvier 2013 inclus.

Fermeture de la billetterie 1h15 avant la fermeture du musée.

Le CDJC et le Mémorial de la Shoah

Fondé en 1943 à Grenoble, le Centre de documentation juive contemporaine a réuni depuis la fin de la Seconde Guerre mondiale une documentation considérable sur la Shoah. Les archives du CDJC, très accessibles à tous, rassemblent plus de 600 000 documents et mettent à la disposition des lecteurs 30 000 ouvrages consacrés à l'histoire du peuple juif, de l'antisémitisme et de la Shoah.

Englobant le CDJC et le Mémorial Juif du Martyr Inconnu, le Mémorial de la Shoah a ouvert ses portes au public en janvier 2005, rue Geoffroy-l'Asnier, sur le site du Mémorial du Martyr Juif Inconnu. Installée au tournant du « siècle des génocides », ouverte sur le siècle nouveau, cette institution neuve est un pont jeté entre les femmes et les hommes contemporains de la Shoah et ceux qui n'ont pas vécu, ni directement ni par la médiation de leurs parents, cette période historique. Le Mémorial de la Shoah constitue une nouvelle étape de la transmission de la mémoire et de l'enseignement de la Shoah, qui étaient jusqu'alors essentiellement portés par les témoins directs de l'extermination des Juifs d'Europe. Pourquoi et comment « enseigner la Shoah » au XXIe siècle ? Ces questions sont au cœur de la mission du Mémorial, au cœur du travail des historiens, chercheurs comme formateurs, qui animent ce lieu de rencontre entre tous les publics, grand ouvert sur les nouvelles générations. Centre de ressources, première archive d'Europe sur la Shoah, le Mémorial est aussi un « musée de la vigilance » conçu pour apprendre, comprendre et ressentir, parce qu'il est nécessaire de construire encore et toujours « un rempart contre l'oubli, contre un retour de la haine et le mépris de l'homme », selon les mots d'Éric de Rothschild, président du Mémorial.

CDJC
37, rue de Turenne
75003 Paris
Tél. : 01 42 77 44 72
Fax : 01 48 87 12 50
http ://www.memorial-cdjc.org

Le Comité français pour Yad Vashem

Association pour la mémoire et l'enseignement de la Shoah et pour la nomination des « Justes parmi les nations »

L'Institut Yad Vashem, « un monument et un nom », a été édifié en 1953 sur la colline du Souvenir à Jérusalem.

C'est un lieu destiné à perpétuer la mémoire des 6 millions de victimes juives de la Shoah, parmi lesquelles figurent 1 million d'enfants.

Pour que l'énormité des chiffres n'engloutisse pas de nouveau les morts sous des statistiques désincarnées, le « Département des noms » y a rassemblé plus de 3 millions de témoignages sur autant de victimes, constituant ainsi une base de mémoire qui continue à s'enrichir chaque jour.

Yad Vashem est le plus grand centre de recherches et d'archives du monde sur la Shoah. Il rassemble plus de 60 millions de documents.

C'est également un lieu d'enseignement pour les jeunes Israéliens comme pour les étudiants et professeurs du monde entier qui viennent assister aux séminaires qu'il organise en huit langues différentes.

Yad Vashem s'efforce enfin de rechercher et d'honorer les « Justes parmi les nations », ces non-Juifs qui ont mis pendant la guerre leur liberté ou leur vie en péril pour sauver des êtres humains juifs. Ils sont près de 20000, de tous les pays d'Europe, dont plus de 2000 en France. Célèbres ou inconnus, toujours modestes, les « Justes » sont un fragile mais combien précieux rayon de lumière qui émerge de l'enfer de la Shoah.

Comité français pour Yad Vashem
64, avenue Marceau
75008 Paris
Tél. : 01 47 20 99 57
E-mail : contact@yadvashem-france.org

Bibliographie

AMIEL Jo, *Les Temps du siècle*, Éditions du Marais, 2000.

BARUCH Marc Olivier et DUCLERT Vincent (sous la direction de), *Serviteurs de l'État, une histoire politique de l'administration française, 1875-1945*, La Découverte, 2000.

BECKER Jean-Jacques et WIEVIORKA Annette (sous la direction de), *Les Juifs de France de la Révolution française à nos jours*, Liana Levi, 1998.

BÉNICHOU Juliette, *Comme la paille dans le vent*, Les Éditions de Paris, Max Chaleil, 1997.

BENSOUSSAN Georges, *Histoire de la Shoah*, «Que sais-je?», PUF, 1997.

BURINOVICI-HERBOMEL Claudine, *Une enfance traquée*, Éditions L'Improviste, 2001.

BURKO-FALCMAN Berthe, *L'Enfant caché*, Seuil, 1997.

CALIMANI Riccardo, *Destins et aventures de l'intellectuel juif de France 1650-1945*, Éditions Privat, 2002.

CHARNY Israël W., *Le Livre noir de l'humanité, encyclopédie mondiale des génocides*, Éditions Privat, 2001.

COINTET Michèle et Jean-Paul (sous la direction de), *Dictionnaire historique de la France sous l'Occupation*, Tallandier, 2000.

COPERNIK Pierre, *L'ABCdaire de la Résistance*, Flammarion, 2001.

COURTOIS Stéphane et RAYSKI Adam, *Qui savait quoi? L'Extermination des Juifs 1941-1945*, La Découverte, 1987.

CYRULNIK Boris, *Un merveilleux malheur*, «Poches», Odile Jacob, 2002.

DELPARD Raphaël, *Les Enfants cachés*, J.-C. Lattès, 1993.

ELLBERG Yehuda, *L'Empire de Kalman l'infirme*, Actes Sud, 2001.

EPSTEIN Helen, *Le Traumatisme en héritage: conversation avec des fils et filles de survivants de la Shoah*, La Cause des Livres, 2005 (édition originale: *Children of Holocaust*, Penguin, 1988)

FONTETTE François de, *Histoire de l'antisémitisme*, «Que sais-je?», PUF, 1993.

FRAJLICK Chaskel, *À la recherche d'Ézéchiel, copeaux de vie d'un enfant juif caché*, Quorum, 1995.

FRANCH Huguette, *Dans ce pays où dansait la liberté*, Édition personnelle, 1999.

GIRAUDOUX Jean, *Pleins pouvoirs*, Gallimard, 1939.
GRYNBERG Anne, *La Shoah, l'impossible oubli*, Découvertes Gallimard, 2001.
HALIOUA Bruno, *Blouses blanches, étoiles jaunes*, Liana Levi, 2000.
HASENCLEVER Walter, *Côte d'Azur 1940, impossible asile*, Éditions de l'Aube, 1998.
HAZAN Katy, *Les Orphelins de la Shoah, les Maisons de l'espoir 1944-1960*, Les Belles Lettres, 2000.
KAHN Madeleine, *L'Écharde*, Éditions des Écrivains, 2000.
KAMB Jacques, *Le Petit Clown à l'étoile*, L'Harmattan, 2001.
KASPI André, *Les Juifs pendant l'Occupation*, Le Seuil, « Points Histoire », 1997.
KLARSFELD Serge, *Mémorial de la déportation des enfants juifs en France. La Shoah en France*, FFDJF ; Librairie Arthème Fayard, 2001.
KLARSFELD Serge, *Le Mémorial de la déportation des Juifs de France*, FFDJF, 1978.
KLARSFELD Serge, *La Shoah en France, le calendrier des déportations*, Fayard, 2001.
KLARSFELD Serge (présenté par), *Lettres au Premier ministre des orphelins des déportés juifs de France*, FFDJF, 1999.
KLARSFELD Serge, *L'Étoile des Juifs*, l'Archipel, 1992.
KUPERMINC Victor, *Idées reçues, les Juifs*, Le Cavalier Bleu, 2001.
MARCHETTI Stéphane, *Affiches 39-45, images d'une certaine France*, Édita Lausanne, France Loisirs, 1982.
MARGOLIS-EDELMAN Alina, *Je ne le répéterai pas, je ne veux pas le répéter*, Autrement, 1997.
MEYER Alrich, *L'Occupation allemande en France, 1940-1944*, Éditions Privat, 2002.
MODIANO Patrick, *La Place de l'Étoile*, Folio, Gallimard, 1975.
MONET Laurette Alexis, *Les Miradors de Vichy*, Les Éditions de Paris, Max Chaleil, 2001.
MULLER Annette, *La Petite Fille du Vél'd'Hiv*, Denoël, 1991
PAXTON Robert O., *La France de Vichy, 1940-1944*, Points Seuil, 1999
PESCHANSKI Denis, *La France des camps, l'internement 1938-1946*, Gallimard, 2002.
PÉTAIN, *Chroniques de l'histoire*, Éditions Chroniques, 1997.
PHAYER Michael, *L'Église et les nazis*, Liana Levi, 2001.
PICARD Roger, *La Vienne dans la guerre 1939-1945*, De Borée Éditions, 2001.
POLIAKOV Léon, *L'Étoile jaune. La Situation des Juifs en France sous l'Occupation. Les Législations nazie et vichyssoise*, Paris, Éditions Grancher, 1999.

Pouplain Jean-Marie, *Les Enfants cachés de la Résistance*, Geste Éditions, 1998.
Rajsfus Maurice, *Opération Étoile jaune*, Le Cherche-Midi éditeur, 2002.
Rajsfus Maurice, *Drancy, un camp de concentration très ordinaire 1941-1944*, Le Cherche-Midi éditeur, 1996.
Rajsfus Maurice, *La Police de Vichy, les Forces de l'ordre françaises au service de la Gestapo, 1940/1944*, Le Cherche-Midi éditeur, 1995.
Roth Maurice, *L'Enfant coq*, Éditions le Capucin, 2001.
Sabbagh Antoine, *Lettres de Drancy*, Tallandier, 2002.
Samuel Vivette, *Sauver les enfants*, Liana Levi, 1995.
Saugues Louis, *Mon enfance sous les bombes, Clermont-Ferrand, 1939-1944*, Louis Saugues, 2000.
Soszewicz Régine, *Les Étoiles cachées*, Castor Poche Flammarion, 1989.
Stephan Yveline, *Élise B.*, Éditions de l'Aube, 1998.
Stupp François, *Réfugié au pays des justes*, Éditions du Roure, 1997.
Tarcali Olga, *Retour à Erfurt, 1935-1945, récit d'une jeunesse éclatée*, L'Harmattan, 2001.
Valensi Lucette et Wachtel Nathan (présenté par), *Mémoires juives*, collection « Archives », Gallimard-Julliard, 1986.
Vallaud Pierre, *Les Français sous l'Occupation, 1940-1944*, Pygmalion, Gérard Watelet, 2002.
Vallaud Pierre, *La Seconde Guerre mondiale*, tome I à V, Acropole, 2002.
Vegh Claudine, *Je ne lui ai pas dit au revoir*, Gallimard, 1979.
Venner Dominique, *Histoire de la collaboration*, Pygmalion, Gérard Watelet, 2000.
Vidal-Naquet Pierre, *Mémoires, la brisure et l'attente, 1930-1955*, Seuil, La Découverte, 1995.
Weiss Ann, *Le Dernier Album, la vie, sous les cendres d'Auschwitz-Birkenau*, Autrement, 2001.
Zaidman Annette, *Mémoire d'une enfance volée (1938-1948)*, Éditions Ramsay, 2002.
Zlatin Sabina, *Mémoires de la « Dame d'Izieu »*, collection « Témoins », Gallimard, 1993.
Les Juifs sous l'Occupation. Recueil des textes officiels français et allemands, 1940-1944, CDJC FFDJF, 1945/1982.
« Surtout les enfants… », *Le Monde juif, revue d'histoire de la Shoah* n° 155, CDJC, 1995.
Le Temps des rafles, le sort des Juifs en France pendant la guerre, Mairie de Paris, 1992.

Remerciements

L'opération «Paroles d'étoiles» doit beaucoup au formidable travail des membres de l'Association des enfants cachés qui a sauvé de l'oubli les souvenirs des enfants cachés. Elle n'aurait pas été menée à bien sans la gentillesse de tous les enfants cachés mais aussi d'Irène Savignon, de Liliane Klein-Lieber, de Robert Frank et de Jean Hirsch, d'Éric Duval-Valachs, de Bernard Portalès, de Patrick Pépin, de Laurent Beccaria, de Rachel Grunstein, d'Aurore de Neuville, de Laurence Corona, d'Hélène Amalric, de Delphine Mozin, de Chantal Rey et de Carole Leray. Elle n'aurait jamais pu être réalisée sans le concours des ateliers de création des locales de France Bleu et de leur directeur, Yves Laplume, des radios locales de France Bleu, et en particulier de France Bleu Basse-Normandie, de France Bleu Drôme Ardèche, de France Inter, de France Info, et de son directeur Pascal Delannoy, de Claude Bruillot, de France Culture, de France Musique et du Mouv' qui ont relayé les appels de Radio France. Elle a été soutenue par le Mémorial de Caen (Jacques Belin, Claude Quétel, Emmanuel Thiébot, Frank Marie, Christine Dejou), par le Centre de documentation juive contemporaine (Jacques Fredj, Lior Smadja, Karen Taieb), par le collège d'Avon (docteur Philippe Duval-Arnould, père Didier-Marie Golay), par l'Amicale des anciens et sympathisants de l'OSE, par Serge Klarsfeld et par l'association Les fils et filles des déportés juifs de France, par l'ORT France (Emmanuelle Polack), par *Télérama* et par certains supports du Groupe Bayard Presse, par *Ouest-France* ainsi que par le festival de la Correspondance de Grignan. Elle est également le fruit de l'aide et de la compréhension qui furent celles de Jean Derens et de Claude Billaud (Bibliothèque historique de la Ville de Paris) ainsi que de l'ensemble des auditeurs de Radio France et des lecteurs de *Télérama* et de *Pèlerin Magazine* qui nous ont envoyé des lettres et des témoignages.

Table des matières

Achevé d'imprimer en Italie par Grafica Veneta
en avril 2017
Dépôt légal octobre 2012
EAN 9782290038628
OTP L21ELLN000416B004
—
Ce texte est composé en Lemonde journal
—
Conception des principes de mise en page :
mecano, Laurent Batard
—
Composition : PCA

Librio
549